D0773867

Nous remercions le ministère du Patrimoine canadien,
la SODEC et le Conseil des Arts du Canada
de l'aide accordée à notre programme de publication

 Patrimoine   Canadian
canadien   Heritage

  Conseil des Arts   Canada Council
du Canada   for the Arts

ainsi que le gouvernement du Québec
– Programme de crédit d'impôt
pour l'édition de livres
– Gestion SODEC.

Nous reconnaissons l'aide financière
du gouvernement du Canada
par l'entremise du Programme d'aide au développement
de l'industrie de l'édition (PADIÉ) pour ce projet.

Logo de la collection :
Vincent Lauzon

Illustrations :
Louis-Martin Tremblay

Maquette de la couverture :
Ariane Baril

Édition électronique :
Infographie DN

Membre de l'Association nationale des éditeurs de livres

ASSOCIATION
NATIONALE
DES ÉDITEURS
DE LIVRES

Dépôt légal : 1er trimestre 2011
Bibliothèque nationale du Canada
Bibliothèque nationale du Québec

1234567890 IM 987654321

Le roman
de Cassandre

DE LA MÊME AUTEURE
AUX ÉDITIONS PIERRE TISSEYRE

Collection Papillon
Mystère et vieux matous, 1991.

Collection Faubourg St-Rock
La rumeur, 1993.
Pas de vacances pour l'amour, 1995.
Le roman de Cassandre, 1996.
Le bal des finissants, 1997.
Les ailes brisées, 2000.

Collection Faubourg St-Rock+
La rumeur, 2007.
Pas de vacances pour l'amour, 2011.

CHEZ D'AUTRES ÉDITEURS
Les Éditions Héritage, Collection Pour lire avec toi
Mougalouk de nulle part, 1989.
Annabelle, où es-tu ? 1989.
Une gomme bien ordinaire, 1990.
Au secours de Mougalouk, 1991.
Le pilote fou, 1991.

AUTRES CRÉATIONS PROFESSIONNELLES
Télévision (scénarisation)
Pacha et les chats, séries I à IV, 1991-1995,
    Productions Prisma, SRC.
Les Zigotos, 1994-1995, Productions Prisma,
    Canal Famillle.
Macaroni tout garni, séries I à IV, 1998-2001,
    Vivavision, Télé-Québec.
Bric-à-Brac, 2001-2002, série produite et diffusée
    par la SRC.
Le retour de Noël Baumier, 2002, conte pour tous,
    produit et diffusé par la SRC.

Danièle Desrosiers

Le roman
de Cassandre

Roman

**ÉDITIONS
PIERRE TISSEYRE**
www.tisseyre.ca

155, rue Maurice
Rosemère (Québec) J7A 2S8
Téléphone: 514-335-0777 – Télécopieur: 514-335-6723
Courriel: info@edtisseyre.ca

Catalogage avant publication de Bibliothèque et Archives nationales du Québec et de Bibliothèque et Archives Canada

Desrosiers, Danièle

    Le roman de Cassandre.
    2ᵉ édition

    (Collection Faubourg St-Rock + ; 21)
    Édition originale : ©1996 dans la collection
     Faubourg St-Rock
    Pour les lecteurs de 12 ans et plus.

    ISBN 978-2-89633-099-7

    I. Titre. II. Collection Faubourg St-Rock+ ; 21.

PS8557.E726R65 2011   jC843'.54   C2010-942680-0
PS9557.E726R65 2011

« *Writing is a form of therapy. Sometimes I wonder how all those who do not write, compose or paint can manage to escape the madness, the melancholia, the panic fear which is inherent in the human situation.* »

Graham Greene

« *Écrire est une forme de thérapie. Je me demande parfois comment tous ceux qui ne sont pas écrivains, compositeurs ou peintres peuvent échapper à la folie, à la mélancolie, à la peur panique qui est inhérente à la condition humaine.* »

1

La Courbe du Train

PATRICIA

Il vente affreusement. Mon corps se contracte et lutte contre les rafales, et la fièvre qui m'habite en est presque soulagée. Ce soir, la nature m'offre un adversaire à la mesure de ma tornade intérieure. Un adversaire aveugle et méchant, qui suit sa propre route et qui ne connaît rien d'autre que sa propre loi. Je voudrais hurler moi aussi, me déchaîner comme la tempête autour de moi. Devenir tempête, tout arracher sur mon passage. Je ne suis faite que de larmes, j'averse toutes mes larmes. Je pleure mon ami et il pleut, une pluie noire et hostile comme cette nuit d'automne en plein bois.

Le souffle me manque soudain. Mes jambes n'obéissent plus aux ordres de mon cerveau engourdi. J'ai besoin d'une trêve. *Time out.* Je tourne le dos à la tempête et courbe les épaules. Je ferme les yeux et desserre ma prise sur la poignée de la voiturette. J'enlève mon gant, je plie mes doigts glacés, raidis par l'effort. Ce qu'il est lourd à traîner, mon fardeau, mais c'est sur mon cœur qu'il pèse le plus. Le vent s'appuie sur moi, le vent s'arc-boute et me pousse, mais je lui résiste.

D'où vient ce halètement ? Je cesse de respirer... et je l'entends encore. Je le perçois malgré les hurlements du vent. Est-ce toi, Lancelot ? Non, je deviens folle, ça ne peut pas être toi ! Je fais brusquement volte-face et je reprends ma route en trébuchant. La main de la bourrasque arrache mon béret et l'emporte. La pluie glacée me cingle les joues. Mes bottes font un bruit de succion inquiétant sur le sentier boueux. Les roues de la voiturette s'enlisent. Je tire de toutes mes forces et c'est à peine si j'avance.

Je reconnais le chemin par habitude, mais j'ai peur. Tout est si différent dans l'obscurité, surtout les sons. La noirceur les amplifie. Est-ce que l'être humain aurait tendance à se fier davantage à ses yeux qu'à ses oreilles ? En plein jour, le bruit ne m'effraie pas. Quand je ne vois rien, ou presque rien comme maintenant, mes oreilles sont forcées de prendre la relève. Elles doivent être paranoïaques, parce que j'ai l'impression que tout ce qui est invisible autour de moi va me sauter dessus d'une seconde à l'autre. Si je voyais clair, j'entendrais moins les chuchotements, les sifflements et les craquements qui m'accompagnent depuis tout à l'heure. J'aurais moins froid dans le dos.

Moment de doute. Qu'est-ce qui m'oblige à supporter tout ça? Rien ne m'empêche de rentrer chez moi et d'attendre au chaud que l'éclairage du jour adoucisse mes émotions. En fuyant la solidarité de ma famille, j'ai choisi d'affronter le froid, la noirceur, la solitude et la peur. Mais je ne reviendrai pas en arrière. Ma peine est trop violente pour accepter d'être prise en douceur. Elle a besoin d'être fouettée par la tempête. De subir un traitement de choc.

De temps en temps un éclair, sur fond de ciel noir, découpe brièvement des silhouettes d'arbres morts. Mon cœur bondit et je presse le pas. C'est plus fort que moi: je m'imagine poursuivie par d'affreuses créatures grimaçantes, aux bras tentaculaires. Alors je me parle, je me parle sans arrêt dans ma tête. Je me raconte n'importe quoi pour couvrir le cri de ma peur.

J'avance en plein film d'horreur. Un film ancien en noir et blanc, plein de cassures et de craquelures, comme la photo de ma grand-mère à vingt ans. Elle était belle, ma grand-mère, et c'est à vingt ans qu'elle est morte, le jour même où elle a eu ma mère. Le jour de l'anniversaire de ma mère, en fait. C'est moche d'avoir choisi un jour pareil, d'avoir fait un coup pareil à son enfant. Mais je suis injuste. Comme si ma grand-mère avait choisi de mourir...

Je ne l'ai connue que par cette vieille photo dans l'album de famille, mais je lui ai toujours secrètement gardé rancune d'avoir laissé ma mère orpheline. Ma mère, elle, ne doit pas lui en vouloir, puisqu'elle m'a donné un de ses prénoms : Patricia. Pourquoi est-ce que je pense à elle, ce soir ? Ah oui… Le film d'horreur. Aucun rapport. C'est la mort qui est le rapport. Et le froid. Et le hurlement du vent. C'est la mort qui m'épouvante. Et puis, c'est l'Halloween, nuit sinistre entre toutes. Lancelot non plus n'a pas choisi son heure. Je ne sais pas encore si je lui en veux, à lui aussi. Je suis trop fatiguée. Trop ruisselante de pluie et de larmes. Trop triste.

C'est fou, ce qu'on peut se raconter dans les moments d'angoisse. Comme si on avait une petite cassette à l'intérieur, spécialement enregistrée par Dieu sait qui pour ces moments-là. Pas besoin d'appuyer sur un bouton, elle se déroule automatiquement. Et je pense à ma grand-mère, aux films d'horreur, à la mort, et j'aurais envie de me coucher dans la boue et de m'en envelopper jusqu'à ce que le cauchemar se termine. Avance, Patricia… Avance et parle-toi. Raconte-toi des histoires.

Quand j'étais petite, je faisais souvent le même cauchemar : j'essayais de traverser un boulevard, mais je me retrouvais les deux pieds collés dans l'asphalte, juste au milieu. Un poids lourd fonçait sur moi à toute vitesse. Je revois encore ses lumières aveuglantes, mais je ne pouvais même pas lever le bras pour protéger mes yeux. Impossible de les fermer. J'étais complètement paralysée. Je me réveillais toujours avant l'impact et je n'en revenais pas d'être encore en vie. Je n'ai jamais eu autant de soulagement à me sentir vivante qu'après ce cauchemar-là. Je m'appliquais à rester éveillée, rien que pour savourer la chaleur de mon corps sous les couvertures.

En me laissant guider par le fil emmêlé de mes réflexions, j'ai atteint l'endroit qu'ici, au Faubourg St-Rock, on appelle la «Courbe du Train». Je m'y reconnais malgré l'obscurité et la pluie qui brouillent le paysage. Je respire une odeur familière et j'éprouve un pincement au cœur. C'est une odeur qui change avec les saisons. Ce soir, elle est faite de bois pourri, de feuilles mouillées, de souvenirs anciens… et du parfum de ma mère. C'est elle qui m'a emmenée ici pour la première fois, à l'aube d'un matin de juillet. Je devais avoir six ou sept ans. Ma mère avait l'habitude de faire une promenade solitaire dans les bois avant le petit déjeuner. J'étais trop jeune pour comprendre ce qui la poussait à sortir si tôt de la maison. Je savais seulement, pour l'avoir entendue en parler à mon père, qu'elle était à la recherche d'une chose mystérieuse appelée inspiration. Ce matin-là, je m'en souviens, le temps était comme suspendu entre les dernières brumes du sommeil et la naissance d'une nouvelle journée. Je ne pouvais plus rester au lit. Je suis sortie au jardin pour guetter le retour de ma mère et je l'ai attendue sans inquiétude, près de la barrière. « J'ai trouvé l'inspiration!» m'a-t-elle crié de loin. Son corps dansait en marchant, ses yeux riaient. Et moi, je regardais ses mains pour voir enfin cette chose, cette inspiration qu'elle cherchait si fort et qui servait de prétexte à ses promenades matinales. Était-ce un caillou? une fleur? une plume d'oiseau?

Ses mains étaient vides. «Viens», m'a-t-elle dit en réponse à ma question muette.

Aube après aube, cet été-là, par des mots tout simples et des silences complices, ma mère m'a fait découvrir la Courbe du Train, l'endroit où elle puisait son inspiration : un vieux chemin de fer abandonné, à moitié rouillé, avec des traverses qui pourrissent sous les herbes folles. Un vrai décor de film d'aventures, regorgeant de cachettes à explorer, d'obstacles, d'arbres creux. Un monde bruissant de vie souterraine et de vie ailée, qu'on sent battre et frémir et nous frôler. Puis, un jour, elle a cessé de m'emmener après m'avoir expliqué qu'elle avait besoin de retrouver la solitude de ses matins. Quelque temps plus tard, j'ai eu la permission de revenir seule à la Courbe du Train, pourvu que ce soit l'après-midi et que Lancelot m'accompagne.

C'est ici qu'il doit reposer. Ici et pas ailleurs.

Il est mort ce matin, mon vieil ami, mon chien. Je l'enterre en ce soir d'Halloween, sous la pluie, sans autres témoins que les présences invisibles qui nous entourent.

C

— Super party, Pop ! crie un habitué pour se faire entendre par-dessus la musique.

Le propriétaire du snack-bar s'immobilise avec son plateau chargé de verres vides et accueille le compliment avec un large sourire.

— Un succès… monstrueux ! hurle-t-il en retour, le visage cramoisi de chaleur et de plaisir.

L'Américain veut sans doute dire un succès monstre, mais certaines subtilités de la langue française lui échappent encore.

Sa soirée d'Halloween remporte en effet un succès inespéré. On se bouscule sur la minuscule piste de danse et entre les tables. Le juke-box est pris d'assaut. On se presse au comptoir où ronronne la célèbre machine à *milk-shakes*. Une marée sans cesse grossissante de clients, des adolescents pour la plupart, déborde jusque dans l'arrière-salle où les deux tables de billard, poussées contre le mur et recouvertes de nappes en plastique orange, supportent des bols de punch maison sans alcool et une quantité impressionnante d'amuse-gueule.

Pop se fraie un chemin entre les tables et dépose son plateau sur le comptoir encombré. Son sourire s'accentue. Il a toujours cru que l'Halloween était une fête d'enfants avides de récolter une montagne de friandises. Il découvre ce soir que la célébration s'étend à tous les âges.

Il jette un coup d'œil attendri vers la porte du snack-bar, où une sorcière plus vraie que nature accueille les arrivants en leur jetant des sorts farfelus de sa voix cassée. Il hoche la tête, et un éclair de fierté illumine ses traits. Sa vieille mère, s'habiller en sorcière, à quatre-vingts ans passés! La vitalité de Mary-Jane le fascine et l'inquiète. Il a l'impression depuis quelque temps que c'est lui le père, l'adulte. Il lui vient des attitudes protectrices. Si sa mère allait lui jouer le tour d'ouvrir ses ailes et de s'envoler dans la nature? Cette pensée élargit encore son sourire. Malgré son âge avancé, Mary-Jane est très proche des adolescents qui fréquentent le snack-bar. Ils ont la même qualité d'énergie.

C'est elle qui a insisté pour décorer le snack-bar. Une petite citrouille creuse, garnie d'un lampion, orne chaque table; les serviettes de papier ont été transformées en fantômes; des pailles noires garnissent les milk-shakes. Déguisés en squelettes phosphorescents, serveurs et serveuses se mêlent à la cohue. Quelques clients ont suivi leur exemple et se sont costumés. D'autres arborent uniquement des maquillages ou des masques, mais la plupart ont préféré rester eux-mêmes. C'est le cas de Marcus, venu en solitaire pour s'électriser au contact de la foule.

— Patricia n'est pas avec toi? demande-t-il à Mathieu qui vient d'entrer, trempé jusqu'aux os par la pluie qui redouble de violence depuis une heure.

Mathieu fronce les sourcils et lui fait signe de hausser le ton. Le vacarme de la fête est à son paroxysme. Marcus s'approche, met ses mains en porte-voix et répète sa question en s'époumonant. Mathieu hoche la tête.

— Son chien est mort, répond-il laconiquement en s'épongeant le visage avec le col montant de son chandail.

Marcus se méprend sur le sens de l'expression. On l'utilise parfois pour signifier que plus rien ne va. Il l'a assez entendue dans sa vie pour s'y tromper. «Mon chien est mort…», a soupiré son père, le jour où il a perdu son emploi. «Ton chien est mort!» lui a lancé Michelle en le quittant après une scène de jalousie particulièrement virulente.

16

— Une de perdue, dix de retrouvées! hurle-t-il en direction de Mathieu, avant de fuir vers le centre de la cohue.

Les problèmes des autres le rendent toujours mal à l'aise. Il préfère ne pas s'en mêler.

Resté seul, Mathieu hausse les épaules. Il vient de comprendre la méprise. Il hésite à rattraper Marcus et à se taper la corvée de lui expliquer que le chien de Patricia est réellement passé de vie à trépas et qu'elle a manifesté le désir d'être seule pour le pleurer. Les mots n'ont jamais été son fort. On lui en fait assez souvent le reproche. Ce n'est pourtant pas sa faute s'il n'a rien à dire, la plupart du temps, si les sensations lui viennent après coup, souvent trop tard pour les exprimer. Il doit souffrir d'une sorte de syndrome du décalage horaire en ce qui concerne les sentiments.

Engourdi par ses réflexions, Mathieu n'a pas vu s'approcher Mary-Jane. Elle lui agrippe le bras de ses doigts menus pour capter son attention. Il sursaute et se dégage instinctivement, sursaute de nouveau en apercevant la sorcière qui semble tout droit sortie d'un film d'horreur.

— *Where is Patricia?* demande Mary-Jane en l'attirant contre elle pour créer un îlot au centre de la foule.

À cause du bruit ambiant, Mathieu devine ces paroles plus qu'il ne les entend. Il s'en étonne brièvement. Pourquoi cette vieille sorcière s'intéresse-t-elle à sa blonde?

Elle répète sa question, et le déclic se produit. Il reconnaît Mary-Jane, la grande amie de Patricia.

Il esquisse une grimace polie, sans réussir à dissimuler son agacement. Drôle de copine, qui a plutôt l'âge d'être son arrière-grand-mère ! Il est vrai que Patricia n'a jamais connu sa grand-mère maternelle. Mary-Jane lui sert sans doute d'aïeule par procuration.

Ne sachant si la politesse exige une réponse en anglais, il croit s'en sortir en esquissant un geste vague. La sorcière insiste.

— Elle n'est pas… malade, *no ?*

— *No, no…* balbutie Mathieu en cherchant vainement une issue à cette conversation. C'est… euh… son chien.

— *Lancelot is sick ?*

Mathieu réprime un rire nerveux. Elle a prononcé « Lancelotte ».

— Lancelotte, Lancelotte ! réplique-t-il avec impatience. Je suis quand même pas venu ici pour me faire écœurer toute la soirée avec un ostid'chien !

Il tourne les talons et joue des coudes pour se frayer un passage vers la porte. Une joyeuse bousculade à l'entrée l'empêche de se rejeter tête baissée sur le trottoir et de se fondre dans la tempête. Il a le temps de se reprocher son mouvement d'humeur. Il se rend compte qu'il est encore en retard dans ses émotions. Ce n'est pas Mary-Jane qui est à l'origine de son irritation, c'est sa blonde. Patricia l'Arrosoir… Ce surnom lui convient à merveille. Elle pleure pour un oui, pour un non. Il n'y comprend rien, ça le déroute. Eh bien, ce soir, elle a de quoi pleurer. Ces larmes-là, il les comprend, mais il ne peut même pas le lui dire pour la réconforter. Elle l'a exclu de son chagrin, lui, son chum. Il se sent lésé.

Mathieu pivote sur lui-même et revient vers la sorcière qui est restée figée sur place, la bouche ouverte. Il pose la main sur son épaule et se penche vers son oreille.

— *Sorry. The dog is not* malade. Il est mort! *Dead!*

Il se redresse et fait le geste de se trancher la gorge.

— Oh! fait simplement Mary-Jane, et Mathieu croit lire une sorte de reproche dans son regard.

— Cette idée, aussi, d'aller l'enterrer dans le bois…, marmonne-t-il entre ses dents.

Mary-Jane se raidit. Elle a entendu le dernier mot et cherche à l'insérer dans son vocabulaire limité.

— Le… bôa?

Mathieu, qui en a assez d'être bousculé, entraîne la vieille dame dans une zone épargnée par la foule, tout près d'une fenêtre en coin.

— Dans le BOIS, oui! éclate-t-il. La Courbe du Train! C'est-tu assez fou à votre goût? Ça ressemble-tu assez à Patricia? Braillarde comme un veau, puis tête de cochon en plus!

La vieille dame met un moment à comprendre, à décoder ce flot verbal. Sa main aux ongles peints en noir se resserre sur le bras de son compagnon. Elle écarquille les yeux.

— *You don't mean… in the woods? Alone?*

L'horloge interne de Mathieu se remet brusquement à l'heure. Il a une vision fugitive de Patricia, seule en plein bois, perdue dans la tempête avec le cadavre de son chien. Cette image morbide le glace. Il se rend compte à quel point il est inquiet, mais il a encore besoin de s'en défendre.

— C'est pas ma faute, quand même!

N'empêche qu'il se voit déjà pataugeant dans la boue, ridicule et trempé. N'empêche qu'il court déjà vers la Courbe du Train tandis que la sorcière, le visage collé à la fenêtre, voit un pan de brouillard s'entrouvrir et l'avaler.

N'empêche que la fête d'Halloween bat son plein, comme si de rien n'était, au snack-bar de Pop.

PATRICIA

Ma pelle est trop légère, et la terre est si lourde, détrempée par la pluie. Maudite pluie qui dégouline de partout, même par en dedans. C'est mon ciel intérieur qui crève. Mon ciel d'enfant. Pourquoi es-tu mort, Lancelot? Je vis mon premier deuil, et c'est moi qui conduis l'enterrement.

La pelle bute contre un obstacle dur. C'est plein de cailloux, par ici. Celui-là doit être plus gros que les autres, je n'arrive pas à le soulever. Et ma lampe de poche qui menace de flancher... Je t'en prie, je t'en prie, reste allumée. Le halo de lumière vacille et s'éteint. Bref instant de panique. Je me sens abandonnée.

Sans réfléchir, je me jette à genoux et je creuse la boue avec mes mains, comme j'aimais tant le faire à cinq ans. Mais ce n'est plus l'heure des petits pâtés. Je t'aurai, caillou de malheur.

L'ennemi n'est pas un caillou… Mes mains tâtonnent dans l'obscurité et dessinent les contours d'une grande boîte en métal, toute cabossée. J'ai un sursaut de révolte. Qu'est-ce qu'elle fait là, cette intruse, dans la tombe de mon Lancelot ? Je l'arrache à son carcan de boue et la soupèse, accroupie sur mes talons. Ce qu'elle est lourde… Que peut-elle bien contenir ?

Mes oreilles bourdonnent. Calme-toi, cœur affolé, cœur sans-cœur. Pourquoi cette agitation devant une vieille boîte souillée de terre ? Calme-toi, mon imagination. Ne me dis surtout pas ce que je redoute d'entendre. Non, tais-toi ! Ne me dis pas que je viens de tomber sur un trésor, le trésor que j'ai cherché en vain toute mon enfance et que tout le monde, sans exception, rêve de découvrir un jour ! Je n'y crois pas. Ça ne m'intéresse plus. Ce n'est pas le moment. Pas ce soir. Calmez-vous, mon cœur et mon imagination, vous me volez une partie de ma peine. N'avez-vous aucune pitié ? Je n'ai pas le droit d'éprouver autre chose que du désespoir. J'enterre mon chien, ce soir.

Je prends la boîte à deux mains et la rejette aussi loin que je peux. Elle est si lourde qu'elle retombe tout près, trop près, en faisant un bruit mat. Je l'ignore, la raye de ma mémoire. Le moment est venu de border mon Lancelot dans le lit que je lui ai creusé.

Je voudrais trouver des mots, des mots puissants comme les poètes en ont pour chaque occasion belle. La mort n'est pas belle, mais quelque chose de beau en moi se soulève et se dresse devant elle. Je ne sais pas ce que c'est, mais je le sens dans ma poitrine. C'est à la fois très doux et infiniment déchirant.

Adieu, mon Lancelot. Petit chiot tremblotant sur mon lit, le matin de mon sixième anniversaire. Chien fou, chien fidèle, bon gardien. Dix ans de ta vie à toi. Soixante-dix ans ou presque, en âge humain. Pourquoi as-tu vieilli si vite, plus vite que moi ? La vie est injuste. La mort est cruelle. J'aurais voulu que tu m'attendes. Oh, pourquoi ne m'as-tu pas attendue ?

Dors, mon chien. Le gel va durcir le sol, la neige va recouvrir ta tombe et les saisons vont passer. La nature reste insensible aux peines et aux joies des mortels...

C'est fini. Je tasse la terre, j'en fais un monticule que je recouvre de feuilles mortes et de cailloux. Le vent s'apaise. La pluie s'intensifie. Elle tombe tout droit, maintenant. On dirait un rideau que la brise a cessé d'agiter et qui reprend son pli. Un hibou hulule, et sa plainte funèbre me terrifie. Qu'est-ce que je fais ici, toute seule, en plein bois ? J'ai froid. Je veux m'en aller, fuir vers la lumière, vers la chaleur rassurante de ma maison.

Un craquement... Mon sang se glace. J'entends marcher. Cette fois, c'est vrai... Quelqu'un rôde. Quelqu'un vient. Je ne peux pas fermer les yeux. Je suis paralysée, comme dans mon cauchemar. Une ombre fond sur moi, les mains grandes ouvertes, et je hurle, je hurle, je hurle…

L'ombre sans visage me saisit aux épaules et me secoue.

— Patricia! Patricia, c'est moi!

— Mathieu? Oh, Mathieu!

Je m'accroche à sa chaleur, à son odeur. Il m'enveloppe et me tient serrée contre lui. Le cauchemar s'estompe. Je redeviens vivante, mon sang se réchauffe peu à peu. Mon cerveau recommence à fonctionner normalement. Une partie de moi ressent un immense soulagement, l'autre partie se révolte contre cette intrusion.

— Mais qu'est-ce que tu fais ici? Je t'avais pourtant dit…

Il me serre plus fort.

— J'ai juste envie d'être avec toi, O.K.?

Il y a une pointe de défi dans sa voix. L'a-t-il fait exprès de mettre l'accent sur le mot *être* au lieu d'insister sur *avec*? La nuance me touche. Être… Un verbe paisible, qui n'exige rien. Être avec quelqu'un, se trouver simplement là… Ce n'est pas menaçant du tout.

Je pousse un soupir, ma tension se relâche. Mes barrières de protection s'abaissent d'un seul coup. Les paroles de Mathieu ont apprivoisé quelque chose de sauvage en moi. Je cesse d'être cet animal traqué par la douleur, qui s'enfonce dans la solitude pour lécher ses blessures. Parce qu'il se contente d'être là ce soir, j'accepte que Mathieu soit avec moi.

2

Le secret de la boîte

PATRICIA

Ma mère est une femme sereine, un lac que les émotions effleurent en surface comme des vagues, sans parvenir à troubler ses eaux profondes. C'est l'image qui me vient en l'observant à travers mes cils mouillés. Je suis la fille d'un lac, fille du Lac, Lancelot du Lac…

Andréanne croise les mains sur ses genoux et son regard est bienveillant, mais sans passion pour les larmes que je verse. Lancelot n'est enterré que depuis cinq jours, et il faudrait déjà que je l'aie oublié. Que je cesse de le pleurer, que je trouve la vie belle, comme si de rien n'était!

Andréanne parle et, comme toujours, explique les choses à sa façon qui n'est pas celle de tout le monde.

— Pleurer son chien, c'est noble. C'est humain. Mais se replier sur soi-même et s'accrocher à son deuil comme s'il n'existait que lui au monde, c'est en devenir dépendante.

Je n'en crois pas mes oreilles.

— Dépendante? Moi, dépendante? De quoi tu parles?

— Dépendante, répète calmement ma mère. La dépendance, quelle qu'elle soit, est un cercle fermé. Si on n'y prend pas garde, on en reste prisonnier.

Je hausse les épaules. Un cercle! Une prison! Pourquoi pas un mauvais sort ou un philtre maléfique, tant qu'à y être? On dirait une de ces histoires que ma mère écrit pour les enfants! Elle n'en dit pas plus et sort de ma chambre, après avoir tendu la main vers moi. Mais le geste se perd en chemin, mon corps s'est rétracté pour fuir son contact.

Ma mère ne comprend rien à ce que je ressens. J'attends des paroles de réconfort, un peu de compassion, et elle me met en garde contre la dépendance. Comme si j'étais une droguée!

Et j'enfonce ma tête dans l'oreiller pour mieux contempler ce nouveau deuil. Mais les derniers mots d'Andréanne dansent dans mes oreilles et ne me laissent aucun repos. Ce n'est pas vrai que je m'enferme dans un cercle. La preuve, c'est que je suis prête à passer à une autre étape. Celle du trésor.

Mais d'abord, tourner le bouton qui verrouille ma porte. Revenir vers le lit sur la pointe des pieds…, m'agenouiller, me pencher, allonger le bras. La boîte est là, en sécurité parmi les moutons de poussière. Jusqu'ici, par respect pour la mémoire de Lancelot, j'ai résisté à la tentation de l'ouvrir. Ce qui prouve que j'ai de la force morale. Il faut de la maîtrise de soi pour ne pas se précipiter tête baissée sur un trésor, pour le considérer comme une chose à explorer en son temps. J'ai presque envie de rappeler ma mère et de la confronter à cette évidence. Mais ce serait révéler un secret qui n'appartient qu'à moi.

Le moment est venu. Je pose la boîte sur mon lit. J'ai beau ressentir de l'excitation, les larmes me viennent aux yeux. Les larmes débordent encore! Je sanglote et je n'y peux rien. Ce sont des larmes d'excuse. C'est vrai. J'ai honte d'être aussi fébrile. Lancelot est mort. Et je me prépare à violer le secret d'une boîte à biscuits. Le secret de quelqu'un.

Qui peut comprendre comment je me sens?

Mes mains tremblent un peu en s'activant sur le couvercle scellé par la boue séchée. Je prends mon temps. La boîte est rouillée par endroits, mais c'est sans doute son séjour sous la terre humide qui l'a détériorée ainsi. Qui a bien pu l'enterrer?

Un doute affreux me saisit. Avais-je le droit de m'emparer de la boîte? J'aurais peut-être dû la laisser là… Je me demande comment je réagirais si quelqu'un pillait la tombe de mon chien. C'est vrai que ce ne serait pas pareil. Les trésors sont faits pour être exhumés par ceux qui les découvrent.

Je n'ai parlé de ma trouvaille à personne. Seul Mathieu est au courant, mais je lui ai menti sans l'ombre d'un remords. Quand il m'a questionnée, le lendemain, je lui ai affirmé que j'avais jeté la boîte, parce qu'elle ne contenait rien d'autre que de vieux chiffons. Je me rends compte que j'agis encore en solitaire, que j'écarte mon chum de ma joie de la même façon que je l'ai écarté de ma peine.

Quand j'étais petite, je me cachais de mes frères pour manger mes bonbons préférés. Ce n'était pas par gourmandise. Je leur en laissais toujours une part équitable. Mais je ne voulais pas être épiée. En me regardant savourer lentement mes bonbons, ils m'auraient tout simplement gâché mon plaisir. Comment auraient-ils pu comprendre que je le goûtais davantage en le faisant durer le plus longtemps possible? Je les jugeais incapables d'apprécier mon émotion.

J'ai toujours eu l'impression que les moments forts de ma vie m'appartiennent en exclusivité, que personne d'autre ne peut en comprendre le sens. On m'a si souvent répété que j'exagérais! Je préfère exagérer toute seule, en secret. La seule personne à qui je confie presque tout est Madame Mary-Jane. Je ne sais pas pourquoi, mais je lui fais confiance. Elle aussi a une nature fantasque, débordante comme la mienne.

Il y a tellement longtemps que je cherche un trésor, que je rêve d'en découvrir un! Je revois encore mon Lancelot, grattant la terre par jeu lorsqu'il me voyait creuser ici et là. Le pauvre chien s'imaginait probablement trouver un os fabuleux. On ne déterrait jamais rien, évidemment, à part quelques couvercles de boîte de métal rongés par la rouille, ou des tessons de bouteille. Témoignage du passage ancien des travailleurs du chemin de fer. Vestiges que l'homme s'entête à laisser derrière lui chaque fois qu'il déserte un sol foulé par ses pieds. Les planètes à explorer seront-elles un jour couvertes de nos détritus?

Le couvercle consent enfin à céder. Je ferme les yeux, le sang me bat les tempes. Je me sens envahie par un délicieux sentiment d'angoisse, que j'ai envie de prolonger. Une légère odeur de moisi assaille mes narines. Ce n'est pas désagréable du tout. Ça me rappelle la senteur que j'aime tant et qui se dégage de la caisse de vieux livres entreposée au sous-sol. Je respire un grand coup et j'ouvre les yeux…

La première chose qui me frappe, c'est que le cahier épouse tout l'espace de la boîte, en largeur et en épaisseur, exactement comme s'ils étaient faits l'un pour l'autre. Sur la couverture de cuir, tout au centre, quatre mots sur une étiquette. Une belle écriture appliquée, avec des courbes aux lettres majuscules:

Le Roman de Cassandre.

Mon trésor…, c'est un roman! Ou plutôt un manuscrit.

Une vague de déception m'envahit. J'avoue que je m'attendais à quelque chose de plus spectaculaire. Des pièces de monnaie ou des bijoux, par exemple. Un sourire me monte aux lèvres. Je me moque de moi-même. Ça me ressemble tout à fait, de rester accrochée à mes rêves de petite fille! Il est temps que j'en sorte. Je n'ai plus dix ans.

Ma déception s'estompe et fait place à la curiosité. D'après sa couverture, on voit clairement que ce n'est pas un cahier ordinaire. Il est très bien relié. Il a dû coûter cher. Mais qu'est-ce qui a pu donner à son ou à sa propriétaire l'idée saugrenue de l'enterrer dans le bois? Je hausse les épaules. Pour déchiffrer l'énigme, il suffit de lire le roman. Le mot énigme me plaît beaucoup. Je me le répète plusieurs fois à voix haute. Il réconcilie le sérieux de mes seize ans avec la naïveté de mes espoirs d'enfant. Je redeviens la découvreuse.

Je me recueille un moment avant de tourner la boîte à l'envers, c'est le seul moyen d'extraire le cahier de sa gaine de métal. Je la tapote doucement, à petits coups, comme on tapote le dos d'un bébé pour lui faire faire son rot.

Le Roman de Cassandre

Cassandre n'est pas mon vrai prénom, mais je l'ai choisi à cause de sa consonance à la fois douce et forte. Dans la mythologie grecque, Cassandre avait le don de prédire l'avenir. Sa crédibilité lui a été retirée lorsqu'elle a refusé de succomber aux avances amoureuses du dieu Apollon.

Cassandre est aussi un anagramme, ou presque, de mon nom. Un déguisement. Un pseudonyme. Je me cache derrière lui par pudeur, même s'il est très improbable que quelqu'un me lise un jour. Je me cache de moi. J'ai tellement honte de ce que je suis réellement... Personne ne peut imaginer à quel point.

J'ai acheté mon cahier hier, en sortant de l'école. C'est un peu grâce à mon professeur de français. Il a dit en classe que l'acte d'écrire peut parfois se comparer à un exorcisme. Tout le monde a ri, mais moi, ça m'a donné un choc. J'ai un urgent besoin de m'exorciser. Je n'en peux plus d'être possédée et de me laisser posséder.

J'espère me relire dans quelque temps, avec un regard critique de lectrice. Est-ce possible? Je voudrais pouvoir me dire: «Mais quelle est donc cette affreuse héroïne? Qu'est-ce qui la motive? Moi, à sa place, j'agirais plutôt de telle ou telle façon.» Un peu comme si je me dédoublais pour juger mon propre cas et le régler.

Je commence à peine mon histoire, mais j'ai déjà hâte de la terminer. Ou plutôt de savoir si elle se termine bien. Je me pose toujours la question en abordant la lecture d'un roman. Malheureusement, je ne peux même pas tricher et aller jeter un coup d'œil à la dernière page de mon cahier pour me rassurer. Elle n'est pas encore écrite. Contrairement aux auteurs de romans, je n'ai aucune idée de ce que sera ma conclusion. Et contrairement à la vraie Cassandre, je n'ai aucun pouvoir de prédiction.

Ça se termine où, une histoire comme la mienne? Y a-t-il un endroit, un moment précis où je pourrai me dire: «Voilà, c'est conclu! Je suis guérie, je vais mieux»? Peut-être à la fin du cahier, tout bêtement, parce qu'il n'y aura pas d'autres pages à noircir. Pas d'autre issue. La limite à mon désespoir, c'est la dernière page de mon cahier. Après... je me retrouve ou je me perds pour de bon. C'est assez effrayant, quand j'y pense. Ce qui me console, c'est que j'ai choisi le cahier le plus épais de la papeterie. C'est comme si je m'accordais une chance, une chance très calculée, mais c'est la seule que j'ai.

J'écris en secret et pour moi seule, mais il me semble que mon existence a plus de sens quand j'imagine que quelqu'un me lit.

J'ai seize ans et je ne peux pas envisager de passer toute une vie à me haïr comme je me hais en ce moment.

3

Qui est Cassandre?

PATRICIA

Cassandre a seize ans… Seize ans comme moi. Et Cassandre se déteste. Elle a seize ans et elle souffre. Mais de quoi? De quoi?

J'ai une folle envie de tricher, de sauter immédiatement à la dernière page de son histoire. Je veux savoir ce qui lui est arrivé. J'ai besoin de le savoir! J'hésite, je tourne les feuillets… Une force invisible suspend mon geste. Non, je ne peux pas tricher. Je ne m'en sens pas le droit. Il faut lire l'histoire comme elle l'a écrite, page par page.

Qui est Cassandre? Impossible de le deviner. Où se trouve-t-elle en ce moment même? Pas très loin d'ici, sûrement, puisqu'elle a enterré son manuscrit dans le bois. Dans mon bois. La Courbe du Train n'est pas un lieu de promenade ni une curiosité touristique. Elle ne mène nulle part, ne débouche sur rien. Ce n'est même pas un raccourci. C'est l'impasse, le fin fond du quartier, la plus ancienne partie du Faubourg St-Rock. Très peu de gens s'y aventurent.

C'était différent pour Lancelot et pour moi. On a passé toute notre vie sur la rue des Groseilliers. C'est la dernière rue du Faubourg, du point de vue géographique. Ou la première, en termes d'ancienneté. Huit maisons un peu délabrées, au toit pointu comme un chapeau de sorcière... et, au-delà de leurs jardins clôturés, le bois. J'ai une tante qui habite un petit coin perdu en Gaspésie. Elle déclare souvent en riant qu'il est inutile de chercher son village sur une carte, parce qu'il est situé quinze centimètres plus bas. J'aime à imaginer que c'est pareil pour ma rue.

Mon cerveau travaille à toute vapeur. Cassandre ne peut pas être ma voisine immédiate. Sept des huit maisons sont habitées par des personnes seules ou par des couples âgés. Mes frères et moi, on est les seuls enfants de la rue des Groseilliers. On l'a toujours été. La maison appartenait à mes grands-parents. Une sorte d'héritage, de souvenir de famille. Malgré tout, on a souvent failli la vendre, parce que mes frères se plaignent tout le temps de la distance à parcourir pour aller jouer avec leurs amis. Moi, ça m'est égal. J'ai la Courbe du Train. Et Lancelot. C'est lui, en quelque sorte, qui m'a conduite à Cassandre. Ce qui me ramène à ma question : qui est-elle ?

C'est peut-être une fille de ma classe, une de celles que je croise tous les jours sans me douter de son désespoir. Si seulement je savais où elle habite, je courrais vers elle, je la prendrais dans mes bras et je la serrerais très fort. Je l'accompagnerais dans sa démarche d'exorcisme, pour qu'elle se sente moins seule. Je l'accompagnerais, oui.

Bon, ça y est... Je pleure sur le désespoir de Cassandre, comme si je n'avais pas assez de pleurer sur tout et sur rien, sur la mort de Lancelot, sur toutes les émotions profondes ou sans allure qui m'envahissent aux deux minutes. Patricia l'Arrosoir... C'est bien moi. Ma mère a raison, je suis beaucoup trop sensible. Mais ma mère, ce n'est pas une référence pour moi. Cassandre me comprendrait sans doute, et je la comprendrais. Qu'est-ce que je raconte? Je ne sais encore rien d'elle.

J'ai besoin de m'aérer l'esprit, besoin de bouger avant de poursuivre ma lecture. Je ne me sens pas capable d'en prendre plus pour le moment. Pardonne-moi, Cassandre. Trop d'émotions s'agitent en moi. Je n'ai plus d'espace pour les tiennes. Mais je reviendrai, je te le promets. Je te lirai jusqu'au bout.

Je referme le cahier et le remets dans sa boîte. J'entends mes frères se disputer dans la chambre au-dessus de la mienne, puis dévaler l'escalier en criant. Toute la maison en tremble. La cachette sous le lit me semble beaucoup moins sûre, tout à coup. Après réflexion, j'en trouve une autre, plus appropriée. À moins d'un feu de matelas – et je ne fume pas –, personne, même pas ma mère, n'a de raison d'aller fouiner par là.

En voyant entrer Patricia dans le snack-bar, les yeux rouges et cernés, les paupières gonflées, Mary-Jane soupire. Elle l'accueille gentiment, mais se retient de lui manifester trop de compassion pour la perte de son chien. Son expérience lui a appris que les gestes de sympathie, destinés à consoler, déclenchent souvent un torrent de larmes chez ceux qui les reçoivent. Elle ne veut prendre aucun risque. Sa jeune amie est une véritable écluse en miniature. Cependant, elle se rend vite compte que Patricia semble plus surexcitée que triste.

Elles s'installent à une table retirée et commandent une tasse de thé et un bol de café au lait. Le secret de Patricia lui brûle les lèvres, mais elle se force à débiter des banalités jusqu'à ce qu'on leur ait servi leurs consommations. Mary-Jane ne se laisse pas tromper par le ton léger de sa jeune amie. Elle prête une oreille distraite à son bavardage, qu'elle devine être une entrée en matière, une sorte de réchauffement verbal.

La serveuse apporte enfin les tasses, les dispose sur les napperons, s'assure que tout va bien et s'éloigne. Patricia s'arrête brusquement au milieu d'une phrase. Les yeux brillants, elle se penche vers son amie. Sa voix tremble.

— J'ai trouvé quelque chose dans la terre, Madame Mary-Jane. Quelque chose qui me fait un drôle d'effet. Je ne voulais en parler à personne, mais j'ai changé d'idée en venant ici. Je ne peux pas garder ça pour moi toute seule. C'est trop spécial, trop…

La vieille dame porte la tasse à ses lèvres et attend paisiblement la suite, en soufflant sur son thé pour qu'il refroidisse.

— C'est une boîte, poursuit Patricia, encouragée par l'attention silencieuse de Mary-Jane. Une vieille boîte de métal. Genre boîte à biscuits, vous savez. Quelqu'un l'a enterrée.

Mary-Jane repose sa tasse un peu trop brusquement sur sa soucoupe. Le liquide brûlant déborde.

— Un trésor? réplique-t-elle, l'œil allumé, en épongeant le dégât avec une serviette de papier.

Elle a prononcé «treujure» et Patricia, bien qu'habituée à l'accent américain de son amie, reste un moment sans comprendre.

— Il y avait un cahier dans la boîte, reprend-elle. Une sorte de journal. Pas un journal pour lire les nouvelles. Je veux dire… Comment on appelle ça, en anglais, donc?

— Dis-le en français, *dear,* intervient Mary-Jane. Meilleure façon pour moi d'apprendre. Mais *slow down.* Parle… moins vite.

Patricia prend une longue inspiration. Parler moins vite, pour elle, équivaut à réfléchir au ralenti. Elle s'y efforce pourtant.

— Un… euh… un journal… comment dire?… intime. C'est ça, un journal intime. On écrit dedans tout ce qu'on pense, tout ce qui se passe dans notre vie. Nos secrets. Vous comprenez?

Les yeux de Mary-Jane pétillent.

— *A diary!* lance-t-elle sur un ton victorieux.

Elle corrige aussitôt :

— *Jeurnal inteeme.*

Patricia sourit. Elle prend une gorgée de son café au lait et poursuit, inconsciente de la moustache mousseuse qui lui orne la lèvre supérieure :

— J'ai commencé à le lire, mais je ne sais pas si c'est correct de continuer. Est-ce que j'ai vraiment le droit de faire ça ? Qu'est-ce que vous en pensez, vous, Madame Mary-Jane ?

La vieille dame tend une serviette de papier à Patricia et réfléchit un moment en tournant la cuiller dans sa tasse.

— La personne qui enterre…, elle laisse un message pour la personne qui trouve ?

Patricia sursaute.

— Un message ? Je ne sais pas… Je ne pense pas… OH !

— Qu'est-ce qu'il y a, *dear ?*

Les mots se précipitent sur les lèvres de Patricia, et Mary-Jane a besoin de toute son attention pour capter le sens de ce raz-de-marée.

— Ça ne m'avait pas frappée, sur le coup, tellement j'étais énervée. Mais Cassandre – c'est son nom, j'ai oublié de vous le dire, pas son vrai nom, une sorte de nom de plume et même un ana… gramme, mais ça, il faut que je cherche ce que ça veut dire dans le dictionnaire, il me semble qu'on l'a appris en classe, mais je ne m'en souviens pas –, elle a écrit quelque chose du genre : « Je me sens moins seule en imaginant que quelqu'un me lit. »

— Alors c'est bien pour toi de lire, conclut Mary-Jane en levant la main comme on donne une bénédiction.

Patricia saisit la fine main ridée à travers la table et la presse dans la sienne.

— Oh! Madame Mary-Jane! Merci, merci! Je ne sais pas ce que je ferais sans vous! C'est vrai, vous avez toujours les bonnes réponses! Comment vous faites?

Mary-Jane sourit.

— Peut-être parce que je suis vieille, *dear.*

Et l'inévitable se produit. Patricia fond en larmes. Lancelot aussi était vieux. Et il est mort.

$$C$$

PATRICIA

J'ai pris une grande décision: celle d'enrôler Mathieu dans le secret du roman de Cassandre. Pour une fois, je n'ai pas envie de faire bande à part. J'ai besoin de lire le manuscrit avec quelqu'un. J'ai d'abord pensé à Madame Mary-Jane, mais il faudrait lire très lentement et lui expliquer le sens de chaque phrase. Je ne m'en sens pas le courage. Je lui ferai plutôt un résumé de l'histoire, au fur et à mesure, dans mes propres mots…, quoique les résumés de lecture ne soient pas mon fort. Quand je suis obligée d'en remettre un, à l'école, mon prof de français fait de l'ironie. Il prétend que j'essaie de surpasser l'auteur en réécrivant toute l'histoire dans mes mots, mais en plus long et en plus confus.

J'ai trouvé mon chum chez lui, comme tous les dimanches après-midi. C'est son jour de corvée pour les travaux ménagers. Sa mère est très stricte là-dessus. J'ai tout de suite senti que je la dérangeais. Elle a bien failli me dire de repasser plus tard, mais je pense que mes yeux rougis l'ont attendrie.

Au lieu d'être heureusement surprise comme je m'y attendais, Mathieu a commencé par me reprocher de lui avoir menti au sujet du contenu de la boîte. On s'est un peu disputés. Il ne peut pas supporter qu'on lui mente. J'ai pleuré. J'ai honte de me l'avouer, mais j'ai un peu forcé sur les larmes. J'ai pleuré exprès pour le presser de me pardonner. Je n'avais pas envie d'attendre deux jours. Avec Mathieu, c'est toujours long. Il met tellement de temps à réagir, c'est incroyable.

Ma mère prétend que mes larmes sont une façon, parfois consciente, parfois inconsciente, de manipuler les autres et d'attirer l'attention sur ma personne. Je lui donne raison pour cette fois, mais pas sur toute la ligne. Ce n'est pas ma faute si je suis née avec des glandes lacrymales aussi puissantes que les chutes du Niagara. Ce serait plutôt un handicap. On s'est tellement moqué de moi à l'école! Patricia l'Arrosoir… Ce surnom me poursuit depuis la maternelle.

Une fois qu'on a été réconciliés, Mathieu s'est montré assez intéressé par ma découverte. Au début, il a eu la même réserve que moi : est-ce qu'on a le droit de lire un journal intime, même s'il s'intitule roman? Je l'ai rassuré tout de suite. Lire Cassandre, c'est pratiquement une mission de sauvetage. Et là, j'ai vraiment pleuré. Cassandre me touche. Je voudrais faire quelque chose pour elle et j'ai peur qu'il soit déjà trop tard.

Mathieu ne partage pas mon point de vue. Pour lui, j'ai fait une trouvaille intéressante, un point c'est tout. Ça l'agace de me voir prendre les choses trop à cœur. Je n'y peux rien si je fais de l'empathie aiguë. Je n'aime pas partager ma souffrance, mais celle des autres m'atteint au plexus solaire. Je ne peux m'empêcher de la ressentir et de me l'approprier. J'ai le don de me glisser dans la peau de quelqu'un, comme si j'endossais ses émotions en plus des miennes. C'est souvent très pénible. Si j'aperçois un mendiant au coin d'une rue, sa silhouette s'imprime aussitôt dans mon esprit et y reste pendant des heures. J'ai froid comme lui, j'ai aussi faim que lui, je me sens démunie. Quand ma mère a la migraine, je voudrais pouvoir la soulager d'une partie de sa douleur. J'imagine les élancements qui lui vrillent le crâne, je les trouve insupportables. À force de me concentrer là-dessus, je finis par me donner mal à la tête. Le même phénomène se produit avec Cassandre. J'ai l'impression qu'elle m'appelle à son secours et que sa peine m'appartient.

J'ai invité Mathieu à venir passer une partie de la soirée chez moi. Le plus délicat sera de m'enfermer dans ma chambre avec lui sans que ma mère s'imagine qu'on a des intentions amoureuses. Oh, elle nous laisse toujours tranquilles quand on est ensemble. Elle retient même mes frères de venir nous déranger. J'ai l'habitude de fermer ma porte en tout temps, et personne ne me pose de questions. La différence, c'est que je n'avais encore jamais ressenti le besoin de mettre le verrou quand je reçois Mathieu.

Le Roman de Cassandre

22 septembre

J'habite en appartement, si on peut appeler « appartement » une seule pièce meublée n'importe comment avec des cochonneries achetées au marché aux puces. C'est tout petit, ça sent mauvais, c'est mal insonorisé et ça grouille de coquerelles. Mais c'est le seul endroit que je peux appeler « mon chez-moi » en ce moment. De toute façon, c'est temporaire. En tout cas, c'est ce que je me disais il y a six mois, le jour de mes seize ans.

Mike et moi, on a pendu la crémaillère ce jour-là. On a invité une douzaine de copains, surtout des copains de Mike, et tout le monde a eu l'air de trouver notre installation formidable. C'est vrai qu'on était tellement à l'étroit que personne n'a eu le temps d'examiner la couleur des murs ou l'état du plancher. On a même fait des envieux, parce que c'est rare de pouvoir se payer le luxe d'un appartement à notre âge. Ce que j'entends par luxe, c'est la liberté totale qu'on a de faire ce qu'on veut à l'heure qui nous plaît.

Au début, j'étais contente, je pourrais même dire heureuse. J'ai collé des affiches au mur, j'ai mis des coussins sur le divan-lit pour cacher les bosses et les brûlures de cigarettes. J'ai piqué deux ou trois bibelots dans le magasin où je travaille les fins de semaine, rien de cher ni de tape-à-l'œil. Mike s'est moqué de moi, il disait que je jouais à la madame. Il s'est mis à me parler avec un accent à la française, le petit doigt en l'air, en me demandant quand mes amies viendraient prendre le thé et si j'avais pressé son habit de gala. J'ai compris et j'ai cessé de faire des efforts pour décorer mon appartement.

Je m'entête pourtant à mettre de l'ordre. Je nettoie aussi souvent que possible, mais tout ce que j'arrive à faire, c'est d'égaliser la crasse. La baignoire est tellement lépreuse que je prends ma douche les yeux fermés, en me dépêchant. Même l'eau dégage une odeur écœurante de rouillé.

Qu'est-ce que j'ai à tant m'en vouloir, au fond? Qu'est-ce que j'ai à me reprocher? C'est la vie qui est responsable de cette merde, pas moi. J'ai bien envie de déchirer mon cahier, de laisser tomber cet imbécile exercice d'exorcisme. À quoi bon poursuivre? Et si je me haïssais encore plus, après avoir fini? Si j'avais le goût de tout lâcher, à commencer par ma vie? C'est terrible. Je ne veux même pas y penser. J'ai la tête dure et, quand j'ai décidé d'aller au bout de quelque chose, rien ne m'arrête. Tiens, j'ai au moins une qualité… En est-ce une, à propos? Et si c'était un défaut? Si c'était ÇA, mon problème?

Il me faudrait un autre cahier, pour inscrire à part toutes les questions qui me viennent en écrivant. Mais qui pourrait y répondre?

L'acte d'écrire me fait du bien. C'est le seul moment où j'ai la paix, où j'ai l'impression de faire quelque chose d'important, quelque chose pour moi toute seule. Non pas que je me sente importante. Mais j'ai besoin d'imaginer que je le suis.

Je profite des absences de Mike pour écrire. Je tire la table branlante près de la fenêtre, pour créer une illusion d'espace. Le seul arbre qui pousse à côté de notre immeuble s'étire jusqu'à notre étage et il balaie la vitre de ses feuilles par temps venteux. Avec un peu d'imagination, je me croirais nichée dans ses branches, à l'abri du monde. C'est très douillet comme sensation. Même le soir, à la lueur de la lampe, je devine l'arbre en sentinelle de l'autre côté de la vitre sale, et cette image me réconforte.

L'essentiel, c'est de cacher le cahier, de ne pas oublier de le ranger après. Si Mike mettait la main dessus et lisait ce que j'ai à raconter sur lui et sur notre vie, je passerais un mauvais quart d'heure. Ce qui me rassure, c'est qu'il ne regarde jamais sous le divan, que ce soit pour donner un coup de balai ou chercher une de ses chaussettes.

Je me mets à la place d'un lecteur éventuel : pourquoi cette fille-là, cette Cassandre, perd-elle son temps avec un gars pareil, qui se moque d'elle et qui semble lui faire peur ?

Je vais te le dire, moi, cher lecteur improbable. Mon père m'a mise à la porte de la maison familiale. Ma faute. Je ne m'entends pas du tout avec sa nouvelle femme. Ni avec lui, d'ailleurs. On ne formera jamais une famille, nous trois. Mon frère l'a compris bien avant moi : il est parti de son côté faire de la musique avec un groupe de copains. Je le vois de temps en temps, on s'entend bien tous les deux. Enfin, assez bien la plupart du temps. Sauf les fois où il me reproche d'être avec Mike, c'est-à-dire une fois sur deux. Et j'en veux à mon frère d'être aussi perspicace. Je me fais exactement le même reproche et je n'ose jamais me l'avouer en face.

Aujourd'hui, je l'avoue à mon cahier. C'est bien pour ça que je l'ai acheté, non ? J'ai l'intention d'être tout à fait honnête avec moi-même, pour une fois. Même si ça me dégoûte encore plus d'être ce que je suis.

Premier motif grave de me détester: je ne peux pas décrocher de Mike. Je suis une droguée de Mike. J'ai toutes sortes d'excellentes raisons de le quitter, et des cent fois meilleures de rester avec lui. Où est-ce que j'irais si je le quittais? Qu'est-ce que je ferais de ma vie? Qui prendrait soin de moi, qui m'aimerait? Qui s'apercevrait que j'existe? La réponse à ces questions est toujours la même: NÉANT. Mon frère m'aime bien, mais il a sa vie à vivre. Quant à mon père, il ne veut plus rien savoir de moi. Il m'a raccroché la ligne au nez quand je lui ai téléphoné pour son quarantième anniversaire.

4

Puzzle

Un long, long silence…

Recroquevillée dans sa chaise berçante en osier blanc, le manuscrit sur ses genoux, Patricia reprend son souffle. Elle s'est efforcée de lire lentement, mais elle a la respiration coupée comme si elle venait de courir un marathon. Mathieu est affalé sur le lit, les bras croisés derrière la tête. Il réfléchit. Pour une fois, Patricia attend sans impatience. Elle a besoin de récupérer.

Mathieu se redresse enfin, s'étire et s'assoit au bord du lit. Le matelas s'affaisse, le vieux sommier grince à plusieurs reprises tandis qu'il cherche une position à peu près confortable. Gênée par ce que le bruit pourrait laisser supposer et persuadée d'avoir entendu un craquement dans le couloir, Patricia se hâte d'aller déverrouiller la porte de sa chambre. Elle l'entrouvre avec précaution… Personne. Ses nerfs lui jouent des tours.

— Il y a plusieurs éléments dans ce que tu viens de lire…, commence Mathieu en bâillant.

Patricia sursaute. Elle est secouée par toutes sortes d'émotions, et il parle d'éléments!

Mathieu se lève et se met à arpenter la chambre.

— Primo, on sait que Cassandre habite dans un immeuble miteux. C'est assez rare au Faubourg St-Rock, surtout depuis que le conseil municipal a mis sur pied le plan de rénovation des édifices.

Patricia hoche la tête, soudain intéressée. Mathieu sait de quoi il parle, son père est conseiller municipal.

— Il existe plusieurs secteurs de logements à prix modique, poursuit-il, mais la plupart sont décents. Ce qu'on cherche, nous, c'est un meublé d'une pièce. Ils sont rares. Je vois une seule rue qui peut coller à la description: la rue Dodgson. On n'a qu'à vérifier les immeubles qui ont juste un arbre devant la façade. Il ne doit pas y en avoir des tonnes.

Patricia est suspendue aux lèvres de son copain. À sa grande surprise, l'analyse à froid de tous ces «éléments» agit comme un calmant sur ses nerfs.

— *Secundo,* on connaît le nom du gars, poursuit Mathieu en marchant toujours de long en large.

Patricia agite la main, comme pour balayer du geste l'affirmation de son chum.

— Bof! Mike est probablement un nom fictif.

— Ça m'étonnerait, réplique Mathieu.

— Cassandre a pourtant pris un pseudonyme pour elle-même! insiste Patricia.

— C'est différent. Elle avait ses raisons.

— Quelles raisons?

Mathieu saisit le manuscrit et le tend à sa blonde.

— Voyons, Patricia. C'est écrit noir sur blanc! Tu vas pas me faire croire que t'as déjà oublié?

Patricia repousse le cahier en faisant une moue, vexée d'être prise en défaut.

— Pas du tout. J'ai retenu l'essentiel. Je ne passe pas mon temps à disséquer des éléments, moi!

Sans relever l'allusion, Mathieu lui tourne le dos et fait quelques pas vers la fenêtre en réfléchissant à voix haute:

— Cassandre nous le dit: elle a honte d'elle-même. Par pudeur, elle se cache derrière un nom de plume. Mais elle n'a aucune raison de changer le nom de son chum dans l'histoire.

— Ce n'est pas bête, reconnaît enfin Patricia. Si je parlais de toi dans mon journal intime, je ne pourrais pas t'appeler autrement que Mathieu. Sinon, j'aurais l'impression de parler d'un autre.

Mathieu se détourne brusquement de la fenêtre, l'air surpris.

— Tu tiens un journal intime, toi?

Patricia rougit.

— Pas de tes affaires, Mathieu Tousignant!

Il éclate de rire. Courte trêve avant de reprendre le fil de ses déductions.

— Mike, ça peut vouloir dire Michel ou Michael. Ou tout simplement Mike. J'en connais deux ou trois à La Passerelle.

— Cassandre travaille dans un magasin les fins de semaine! ajoute Patricia, toute fière d'avoir relevé un indice de plus.

Mathieu secoue la tête.

— Ça ne nous avance pas! Tu sais *combien* il existe de magasins et de boutiques au Faubourg?

— Touché… Mais combien vendent des bibelots? réplique Patricia.

— C'est vrai, elle mentionne qu'elle a piqué des bibelots. C'est à vérifier. Prends l'annuaire des pages jaunes…

Dans son agitation, Patricia bute contre la boîte restée ouverte sur le tapis. Son bel enthousiasme refroidit d'un seul coup.

— Zut, Mathieu… On s'excite peut-être pour rien. On ne sait même pas depuis combien de temps la boîte était enterrée. C'est une très vieille boîte. Regarde…

Mathieu prend la boîte et l'examine.

— C'est vrai, mais ça ne prouve rien du tout. N'importe qui peut posséder une vieille boîte. Les gens aiment les conserver parce qu'elles sont jolies. En plus, elles sont pratiques pour ranger les photos, les souvenirs de famille.

Patricia se sent revivre.

— Tu as raison! On en a une, ici, qui date de 1926 – c'est inscrit sur le couvercle. Si je voulais m'en servir pour enterrer quelque chose, je n'aurais qu'à la prendre dans le vaisselier.

— Tu vois? poursuit Mathieu. J'ai un oncle qui collectionne les vieilles boîtes à biscuits. Il en a une presque pareille à celle-là, et je sais qu'il l'a achetée dernièrement dans une vente à l'encan.

Patricia soupire de soulagement.

— C'est vrai. L'âge de la boîte n'a pas forcément rapport avec l'âge de sa propriétaire. C'est une bonne chose de réglée.

— Oh non, ce n'est pas réglé! riposte Mathieu. Comme tu dis, l'âge de la boîte ne nous indique rien. Elle peut aussi bien avoir été enterrée il y a huit jours qu'il y a cinq ans.

— Aaaah… Tu me décourages! gémit Patricia. On fait quoi, maintenant?

— On passe à l'anagramme. C'est quoi, au juste? Je suis un peu rouillé, côté vocabulaire.

Patricia n'ose pas avouer qu'elle est aussi rouillée que Mathieu. Elle prend son dictionnaire et le feuillette fébrilement.

— Attends… Je l'ai! «*ANAGRAMME: Mot formé des lettres d'un autre mot disposées dans un ordre différent. Ex.: gare est l'anagramme de rage.*»

Mathieu s'assoit au pupitre de Patricia et saisit un crayon.

— Cassandre… Ça donne quoi en mélangeant les lettres?

Il griffonne hâtivement chacune des lettres sur un bout de papier qu'il découpe ensuite en petits morceaux, comme un puzzle. Il les éparpille sur le bureau et essaie plusieurs combinaisons. Patricia, fascinée, s'appuie à l'épaule de son chum et y va de son commentaire.

— Attention. Elle a bien dit que c'était un «presque» anagramme.

— Admettons… Ça pourrait être… euh… Sandra.

— Ouais. Mais il reste les lettres C, S, E. Je ne sais pas pourquoi, mais j'ai l'intuition qu'elle a utilisé TOUTES les lettres de son nom, et qu'il lui en a manqué. Voilà pourquoi elle a mentionné le mot *presque*.

Mathieu sourit. Il trouve sa blonde géniale et se tourne pour l'embrasser, excité par le courant de complicité qui les réunit. Patricia a les joues en feu, et, pour une fois, ce ne sont pas les larmes qui font briller ses yeux.

— Il y a neuf lettres dans CASSANDRE. C'est beaucoup pour un seul prénom. On pourrait en déduire qu'elle a aussi utilisé son nom de famille pour former l'anagramme.

— Ça se complique…, soupire Patricia. Soit on a trop d'éléments, soit il nous en manque trop.

— On tourne en rond, renchérit Mathieu en balayant de la main les lettres de papier. Si on lisait un autre bout de l'histoire ?

Patricia reprend le cahier, le tend à son chum.

— À ton tour de me faire la lecture.

Mathieu lui lance un regard surpris, presque offusqué.

— Tu veux que je lise, moi ? À voix *haute* ?

Patricia secoue énergiquement la tête.

— Il n'y a rien là. On est tout seuls ! Et puis, ça me ferait du bien de me reposer un peu les babines.

Pour donner plus de poids à son argument, elle se masse les mâchoires avec ostentation.

— Bon… D'accord, cède Mathieu, avec l'air misérable d'un agneau qu'on mène à l'abattoir.

Il se laisse tomber dans la chaise berçante et fixe le manuscrit comme s'il allait lui exploser entre les doigts.

— Parfait! jubile Patricia en se frottant les mains. Mais ne lis pas trop vite, hein?

— C'est toi qui lis vite, Patricia Longpré. Pas moi.

Elle hausse les épaules.

— Bon, bon. Pas trop lentement, d'abord!

29 septembre

Mike a vingt-deux ans, six de plus que moi. Il travaille sur un chantier de construction… quand il travaille. Mon frère le traite de paresseux, de parasite de la société. Il a raison. C'est la première fois que je l'admets, et c'est parce que je n'ai rien à cacher à mon cahier. Mais c'est difficile. Je suis toute en contradictions. Autant dire que je fais mon propre procès en m'accusant de tous les torts mais en me déclarant acquittée d'avance. Oui, je suis coupable, oui je m'en veux, mais j'ai des circonstances pas mal atténuantes.

Dans ce cas, pourquoi est-ce que je me dégoûte tellement? Pourquoi est-ce que je me réveille la nuit pour me haïr?

Un bon point pour moi. Je n'ai pas abandonné mes études. Je veux arriver quelque part dans la vie. Mais c'est bizarre d'aller à l'école et de ne pas avoir de parents à qui montrer son bulletin. Je le fais voir à Mike, quand il n'a pas trop bu. Il a une façon bien à lui de me féliciter: une petite tape sur les fesses et un gros french kiss qui sent la bière.

— Tu vas bientôt pouvoir nous faire vivre comme des rois avec ton salaire, ma cocotte!

C'est un peu vexant, mais je sais qu'il est fier de moi. Ah, et puis… qu'est-ce que j'essaie de me faire croire, encore?

Oui, je me déteste de rester avec Mike. Et, en même temps, je me détesterais de le quitter. Il serait aussi dévasté que moi, peut-être davantage. Je sais de quoi je parle, j'en ai déjà fait l'expérience. Pendant trois jours. Trois jours à vivoter ici et là, chez mon frère, chez des amis, sans port d'attache, avec mon sac à dos qui contenait à peu près tout ce que je possède. Trois jours à me sentir dans les jambes de tout le monde, à agacer les autres, à lire le mépris ou la pitié dans leur regard, à pleurer, à regarder dans le vide. À ne plus entendre, à ne plus voir, à ne plus me posséder moi-même. Je me sentais perdue sans Mike. Comme flottant dans le néant. Je ne m'identifiais plus à rien, je n'avais plus rien à quoi me raccrocher. Même plus le goût d'aller à l'école… et pour moi, c'est le plus grave. Si je décrochais de l'école, je ne sais pas ce que je deviendrais. J'ai envie de réussir ma vie, ne serait-ce que pour prouver à mon père que je me débrouille très bien sans lui.

Au bout de trois jours, Mike est venu me chercher à deux heures du matin. Il a fait une scène de tous les diables, il a presque défoncé la porte chez mon frère, il a cassé une bouteille de bière dans la rue en hurlant qu'il me voulait et que personne ne l'empêcherait de me reprendre. Les voisins ont menacé d'appeler la police. J'ai réussi à calmer Mike. Je suis la seule à pouvoir le faire. Je suis repartie avec lui, et tout le monde, mon frère le premier, a été soulagé de nous voir décamper.

Quand je suis avec Mike, je sens qu'il tient à moi. Il a beau m'abreuver de hurlements, ça finit toujours par des larmes et des caresses. Je me passerais bien des cris et des pleurs, mais les caresses sont tout ce que j'ai pour me sentir en vie. Et puis, Mike n'a jamais levé la main sur moi. Il n'est violent qu'en paroles. Ce n'est pas sa faute. Il n'a jamais appris à se contrôler et, après, il le regrette.

Je suis moche, hein? Je m'en rends compte en me relisant. J'aime quelqu'un et je trouve des excuses à son comportement inexcusable parce qu'il ne m'a jamais battue... Il faut le faire. C'est ce que je fais tout le temps. Et je descends encore d'un cran dans mon estime. Un cran après l'autre, lentement mais sûrement, je suis à la veille d'arriver en bas de l'échelle. Le fond du puits.

Tous mes amis me répètent que je suis intelligente. Ce n'est pas pour me rassurer, au contraire. Je me VOIS m'enfoncer, je suis consciente de mon mal et j'en souffre. Si je n'étais pas aussi intelligente, je ne souffrirais probablement pas autant. Ma tête et mon cœur se livrent une bataille acharnée, perdue d'avance. Le cœur n'en fait qu'à sa tête, la tête a mal au cœur.

Il paraît que je suis belle et que j'ai beaucoup de style. C'est une appréciation superficielle. Moi, quand je me regarde dans le miroir, c'est l'intérieur que je vois, c'est l'impasse qui se cache au fond de mon cœur, comme s'il n'y avait pas d'issue au découragement qui m'habite, pas de porte de sortie à la malchance. Je suis peut-être belle en dehors, mais je me sens laide, laide, laide par en dedans.

Mike, lui, m'aime laide comme il m'aime belle. Il est bien le seul. Ça compte, non?

Dis-moi que ça compte, Cahier.

5

Oh, wow!

Un autre silence... beaucoup plus lourd que
le premier.

Un oreiller ramené contre elle, Patricia regarde
fixement la tirelire en forme de nuage que son
chum lui a rapportée d'un voyage aux États-Unis.
C'est un nuage de pluie mauve, avec des goutte-
lettes bleues peintes en relief sur le plâtre. On
trouverait difficilement plus kitsch comme objet,
mais elle y tient beaucoup. Son prénom est même
inscrit à l'encre dorée sur le devant.

Mathieu referme brusquement le cahier et le
jette sur le tapis. Il est atterré, il en a ras le bol pour
ce soir et, s'il s'écoutait, il brûlerait ce maudit
manuscrit et partirait en claquant la porte. C'est
trop débile, une histoire pareille. Il n'a aucune envie
d'y être mêlé, de près ou de loin. Et puis, ce n'est

pas du tout son genre de lecture. Il ne tripe pas sur les malheurs des autres. Il s'est fait avoir et il le regrette. Il donnerait n'importe quoi pour être ailleurs en ce moment.

Lire à voix haute – sauf pour quelques extraits de textes en classe – est une expérience nouvelle, qui l'a bouleversé jusqu'aux tripes. Son horloge interne grince, les aiguilles sont sur le point de s'arrêter. L'heure juste, c'est quoi ?

Prononcer tous les mots, les faire vibrer dans l'air, c'est leur prêter vie, une vie effrayante. C'est encore plus poignant que de les lire dans sa tête. Mathieu a fait parler Cassandre avec tellement de réalisme qu'il lui a donné sans le vouloir une présence, un visage, un corps presque tangible. Il réagit par la fureur à ce corps étranger dont il voudrait se débarrasser comme d'une poussière dans l'œil. Un bon coup de poing sur le bras de la chaise.

— Tu parles d'un beau salaud, le Mike ! Je lui casserais la gueule avec plaisir !

Patricia sursaute et cesse de tenter de s'hyp-notiser sur sa tirelire.

— Tu ne te rends pas compte, hein, Mathieu ?

— De quoi ? réplique-t-il d'un ton boudeur en se levant d'un bond.

— Mike a vingt-deux ans. C'est vieux sans bon sens. Et il travaille dans la construction.

— *Quand* il travaille ! rectifie Mathieu avec humeur.

— Comment veux-tu qu'on l'identifie ? soupire Patricia.

Elle n'est pas loin de verser quelques larmes. Mathieu se penche vers elle et la saisit aux épaules.

— L'identifier? Oublie ça! Je m'en fous de Mike, moi! Je m'en contrefous! C'est Cassandre qui m'intéresse.

Il se mord les lèvres et tourne le dos à sa copine. La riposte de Patricia ne se fait pas attendre.

— Parce qu'elle est belle et qu'elle a du style? Mathieu se renfrogne.

— Arrête donc de dire des niaiseries!

Le sommier grince. Patricia se lève, pose la main sur l'épaule de son chum, et d'une toute petite voix, murmure à son oreille:

— Me trouves-tu belle, moi?

Il se raidit, décontenancé par la question. La pression sur son épaule se fait plus insistante. Mathieu soupire et se tourne vers sa blonde qui ravale péniblement ses larmes.

— Ben oui... mais pas avec ton gros nez rouge! réplique-t-il en faisant une grimace.

Il vient de commettre une gaffe. Patricia enfouit son visage dans ses mains.

— Ah, non! Tu vas pas recommencer à brailler! C'est ça qui te rougit le nez!

Patricia éclate:

— Sors d'ici, Mathieu Tousignant! Espèce de... de... de...

....

— Mathieu! Mathieu, arrête! Arrête, tu me chatouilles!

Ils tombent enlacés sur le lit. Le sommier se remet à grincer. Patricia s'en moque. Tout ce que ses parents peuvent entendre, de l'autre côté de la porte, ce sont ses hurlements de rire. Pas de quoi s'inquiéter… Une pensée fugitive lui traverse l'esprit tandis qu'elle se débat contre les chatouilles et cherche les points vulnérables de son chum : ce serait chouette de rire autant en faisant l'amour. Surtout la première fois.

Comme s'il lisait dans les pensées de Patricia, Mathieu cesse de la chatouiller et plaque sa bouche contre la sienne. Ils s'abandonnent un long moment, soudés l'un à l'autre. Mais Mathieu fait un saut de carpe et se dégage brusquement. Patricia, alanguie, roule sur le côté.

— Qu'est-ce qu'il y a ? murmure-t-elle.

On dirait la voix d'une étrangère, une voix aux inflexions chaudes et paresseuses. Mathieu frissonne.

— Il est temps que j'y aille, grogne-t-il en se passant la main dans les cheveux. Déjà dix heures. Oublie pas qu'on a un test de maths, demain.

Patricia s'adosse à l'oreiller, relève ses jambes contre son corps et entoure ses genoux de ses bras. Elle reprend lentement son souffle, la bouche entrouverte, et ses yeux pétillent.

— Salut, hein ? fait Mathieu en prenant sa veste. À demain.

Il hésite, la main sur le bouton de la porte. Patricia lève la main sans répondre. Mais elle sourit si tendrement que Mathieu revient sur ses pas pour embrasser ce sourire. Il se penche et l'effleure à peine, pour ne pas risquer de l'effacer. Le sourire déteint sur ses lèvres. Il le garde tout le long du chemin. Il fait même un détour par le parc pour le savourer plus longtemps, en tête-à-tête avec lui-même.

C

PATRICIA

Wow… Mathieu ne m'a jamais embrassée de cette façon-là. Pas seulement avec ses lèvres, mais avec son cœur, ses bras, son corps. C'est doux, c'est fou. On aurait dit qu'on était branchés sur le 220, tous les deux. Le courant me picotait partout, jusqu'au bout des orteils. J'en avais les cheveux presque dressés sur la tête. Et son odeur, son odeur… Je la respire encore sur ma peau. Pas de douche, ce soir. Je veux m'endormir dans l'odeur de mon chum.

Il avait envie qu'on fasse l'amour, je le sentais. Moi aussi, moi aussi, moi aussi! Oh, wow…

Mais qu'est-ce qui lui a pris, tout à coup? Le chum que je connais, c'est un gars plutôt lunatique, aux baisers timides, qui réfléchit trois jours avant de poser un geste ou de daigner se prononcer sur une question. Même que des fois, ça me donne envie de hurler d'impatience.

Ah, Mathieu, Mathieu… Je suis sa première blonde. Il a mis tellement de temps à se faire à l'idée! Dire que j'ai attendu notre premier baiser pendant des semaines. Il n'osait même pas me tenir la main en public… et c'est moi qui ai pris l'initiative. Ce soir, s'il avait pu me dévorer toute crue, il l'aurait fait! N'empêche qu'il s'est arrêté à temps.

Je ne pensais plus à rien, moi. Mes parents auraient pu nous surprendre. Je ne crains pas leur réaction, ils doivent s'attendre à ce que j'aie une vie sexuelle un de ces jours, mais ces moments-là sont trop personnels pour qu'une invasion, même acciden-telle, vienne les perturber. Ils n'appartiennent qu'à nous. À nous, à nous, à nous deux...

Tout a commencé comment, déjà? Ah oui..., comme un jeu. Mathieu s'est mis à me chatouiller pour me changer les idées, parce que je suis jalouse de l'intérêt qu'il porte à Cassandre. Ah! mon Dieu... Je pense qu'il a le *kick* sur elle. C'est *elle* qui l'excite, pas moi.

Voyons, Patricia. Tu te racontes encore des his-toires. Tu ne vas pas recommencer à pleurer. Pense à ce qui vient de se passer avec Mathieu...

Ça y est, le sourire te revient. Un sourire qui part des tripes, qui monte, qui gonfle, qui déborde. Imagine si tu souriais comme ça devant tout le monde, demain à l'école. Tu aurais l'air d'une parfaite idiote.

Mais wow... wow!

Oh, wow!

C

MATHIEU

Wow... Je n'ai jamais vu ma blonde sourire comme ça. Un vrai sourire d'arc-en-ciel après la pluie. J'en avais le souffle coupé. Si elle s'était vue dans un miroir, elle n'aurait pas eu besoin de me demander si je la trouve belle. Wow...

Si seulement elle souriait plus souvent de cette façon-là. Pas trop souvent, quand même. J'en deviendrais jaloux. Jaloux de tous ceux qui verraient son sourire.

Je ne sais pas ce qui m'a pris de me jeter sur Patricia, ce n'est pourtant pas mon genre de brusquer les choses. Ah oui, les chatouilles… Je ne pouvais plus supporter de la voir brailler. Maudit, qu'elle est braillarde! Et jalouse en plus, je n'aurais jamais cru ça. Mais jalouse d'une fille en papier, d'un personnage de roman, faut le faire.

J'ai voulu lui changer les idées, me faire pardonner la gaffe du gros nez rouge. Réponse stupide à une question stupide. Mais après…, tout est arrivé tellement vite. Je me suis laissé emporter par une grande vague toute chaude. J'ai eu envie d'elle. Comme si je la respirais pour la première fois et que son odeur me rendait fou. Si je ne m'étais pas retenu… J'espère qu'elle n'a rien remarqué. Je ne veux pas qu'elle pense que c'est Cassandre qui m'excite.

C'est pourtant vrai, Cassandre m'excite, mais pas comme Patricia pourrait l'imaginer. Une parfaite inconnue vient me déranger dans mon petit monde. Je ne la connais pas, moi, je ne veux rien savoir de son histoire. J'haïs ça, ces affaires-là, je n'ai pas envie de continuer à lire et pourtant, oui… Je vais continuer, parce que ça me met en contact avec, avec… En tout cas, ça me rapproche de ma blonde. Je n'y comprends rien, mais c'est un fait.

Bon. Il est temps que je dorme, si je veux me lever demain.

Voyons, l'oreiller est donc bien dur !

Maudit Mike ! Non, mais, tu parles d'un ostid'crétin…

Le Roman de Cassandre

16 octobre

Cahier. J'ai commencé à boire. Ça me rend malade,
ça me fait dégueuler. Je ne me soûle pas par besoin ni
par habitude. Je ne suis pas une alcoolique, je te le
jure. Je ne pourrais jamais le devenir, même si je le
voulais. Je déteste l'odeur et le goût de la bière. Le vin
me soulève le cœur. Je ne peux pas supporter la brûlure
de l'alcool. C'est comme du feu dans ma bouche, un
grand brasier dans mon estomac. J'en ai pour des
heures à me consumer lentement, la nuque raidie, la
tête prise dans un étau. Le lendemain, c'est pire. Je me
sens comme une bête dans sa tanière, une bête qui pue
et qui se roule dans sa mauvaise haleine. Pourquoi je
fais ça? J'ai mes raisons. Mais ces raisons-là, j'ai beau
les tourner en tous sens, elles n'arrivent pas à me
soulager. Et je me dégoûte un peu plus.

Tu vois où on en est? Même pas à la moitié de ton
épaisseur, Cahier. Et c'est ÇA, ma vie? C'est ÇA, mon
histoire? Comment crois-tu que ça va finir?

Je bois pour rejoindre Mike. Comprends-tu? Je
veux l'atteindre dans son petit monde fermé, où il se
réfugie de plus en plus souvent, loin, si loin de moi.
Quand il se soûle tout seul, je le perds. Il n'est plus là,
je me sens complètement abandonnée. Toute seule à
tourner en rond dans notre unique pièce et lui, à deux
mètres de moi, dans son monde inconnu! Dans ces
moments-là, je n'ose même plus lui parler, j'ai trop
peur qu'il se mette à hurler. La plupart du temps, je
m'assois dans un coin sans bouger, en respirant le
moins possible. Je me fais toute petite. Je réfléchis.

Je pense à des histoires de mon enfance, à Cendrillon *et à sa méchante belle-mère ou, le plus souvent, à* Alice au Pays des Merveilles. *Alice me fascinait. Elle avait trouvé une bouteille d'élixir quelque part. Sur l'étiquette, c'était écrit: bois-moi. Elle prenait une gorgée d'élixir et rapetissait aussitôt. Pour grandir de nouveau, il lui suffisait de grignoter un morceau de champignon. Ou vice versa, je ne m'en souviens plus. C'était une bien belle histoire.*

Quand Mike boit, le monde autour de lui rapetisse et finit par disparaître. Je l'ai compris à force de l'observer. Il ramène toutes les frontières vers lui, il les colle à son corps. Il devient son propre pays. Son champ de vision se rétrécit, il plonge à l'intérieur de lui-même en faisant abstraction du reste. Le reste, c'est aussi moi. Mike m'efface en buvant, de la même façon qu'il efface le décor environnant. C'est comme si je n'existais plus, tout à coup, et j'avoue que ça me donne froid partout.

Il m'est arrivé de ne pas dormir de la nuit et de réfléchir à toutes ces choses étranges, quand Mike oubliait d'ouvrir le divan-lit et qu'il s'y endormait tout habillé, chaussures aux pieds. Je l'écoutais ronfler, je me bouchais le nez quand l'odeur devenait trop insupportable.

Un soir, j'ai décidé que ça devait cesser. Tu comprends, Cahier? Là où il s'enfermait, j'étais prête à m'enfermer moi aussi. Pour ne plus être seule. Pour être avec lui.

On devait sortir ce soir-là, aller à un party chez des copains, et je m'en étais réjouie toute la journée. Ce n'était pas mon genre de party, ni mon genre de copains, à vrai dire, mais j'étais certaine que le changement d'air ferait le plus grand bien à Mike. On ne sortait presque plus depuis qu'il avait perdu son emploi. Son humeur s'assombrissait de jour en jour, il n'ouvrait plus la bouche que pour critiquer tout ce que j'avais le malheur de dire ou de faire. Il passait des heures à boire, puis des heures à dormir d'un sommeil pesant. Je ne pouvais plus faire un geste dans l'appartement sans déclencher sa colère. Mes études s'en ressentaient, je n'arrivais plus à me concentrer.

Et puis le coup de téléphone est venu, nous invitant au fameux party le lendemain. Cette invitation providentielle nous était lancée comme une bouée de sauvetage en plein océan. Mike l'a saisie, puisqu'il a aussitôt changé de comportement. Il a pris une douche, s'est brossé les dents et a gueulé un bon coup pour que je l'aide à trouver un tee-shirt propre. Avant de s'endormir, il m'a embrassée et serrée contre lui comme s'il se rappelait enfin ma présence. C'était déjà une grande amélioration.

En s'éveillant, le matin du grand jour, Mike m'a préparé un café et a insisté pour que je mange un œuf, notre dernier œuf. J'en avais les larmes aux yeux. Il m'a même promis de faire un bon ménage de l'appartement pendant que je serais à l'école. J'étais sans crainte à ton sujet, Cahier, je savais qu'il n'irait pas jusqu'à balayer sous le divan. Je suis partie heureuse et j'ai passé une excellente journée.

Mais en rentrant de l'école, tous mes espoirs d'une bonne soirée se sont évanouis, et je me suis retrouvée à l'eau sans bouée. J'étais un peu en retard, parce que j'avais fait un saut à l'épicerie pour acheter des tranches de jambon et deux pommes de terre pour le souper. J'avais couru en espérant que Mike ne soit pas en colère, lui qui déteste attendre. Je l'ai trouvé assis, les coudes sur la table, au même endroit où je l'avais laissé sur un baiser plusieurs heures auparavant. À la seule différence qu'il y avait, en plus des restes de mon petit déjeuner, plusieurs bouteilles de bière vides devant lui. J'étais inquiète de son immobilité. Je lui ai demandé comment il se sentait, et il n'a pas répondu. Je lui ai montré ce que je rapportais pour souper, il n'a même pas levé la tête. Je lui ai parlé du party, il s'est contenté de pousser un grognement.

Je lui ai reproché de s'éloigner encore de moi. Oh, pas un gros reproche... Une toute petite plainte allégée d'une caresse sur la nuque. Mike a répliqué d'un ton boudeur que j'étais trop fière pour boire avec lui, que c'était moi qui le laissais tomber et que ça le mettait tout à l'envers de voir que sa blonde le méprisait, lui, un chômeur, un bon à rien qui n'avait même pas terminé son secondaire. Il était certain que j'allais le lâcher d'une journée à l'autre. Il n'avait jamais eu de chance dans la vie.

Je n'ai pas entendu le reste de son discours, un grand monologue décousu et sans suite. Je me sentais trop coupable. Je tremblais des pieds à la tête. J'avais l'impression d'être une sale lâcheuse, l'unique responsable du gâchis qu'est notre vie. Mike me faisait pitié, et moi je me faisais horreur.

Sans réfléchir, j'ai pris une bouteille de bière tiède dans la caisse qui traînait par terre et je l'ai décapsulée d'un geste de défi. Mike me l'a aussitôt enlevée des mains, croyant que je cherchais à l'amadouer. Il restait une autre bouteille, je l'ai ouverte de la même manière. En me voyant prendre une longue gorgée, Mike a fait les yeux ronds, puis s'est mis à rire et m'a attirée sur ses genoux. J'ai ri, moi aussi, ri à m'en étouffer, tellement j'étais contente de nous sentir enfin ensemble.

Une bouteille de bière, ce n'est pas beaucoup, même pour une novice. Pas assez pour s'enivrer.

Mike est allé en acheter d'autres avec une partie de l'argent du loyer. Je ne me souviens plus de ce qui s'est passé ensuite. Mais je me souviens des mains de Mike sur ma taille, de ses baisers mouillés dans mon cou. C'était bon. J'ai manqué l'école le lendemain, parce que je me sentais trop malade pour me lever. J'ai pleuré, je me suis haïe. Mike m'a consolée. J'ai haï Mike. Et j'ai recommencé.

J'ai recommencé à boire, Cahier. De la bière, du vin et même de l'alcool. Pas par goût. Je bois pour être avec Mike. Le comprends-tu, au moins?

Moi, je le comprends, mais je suis incapable de l'accepter. Je me dégoûte tellement! Qu'est-ce que ça peut bien te faire, à toi? Tu ne bois que de l'encre, celle que je te donne. Et j'ai l'impression que je perds mon sang goutte à goutte, du sang bleu empoisonné, pour te nourrir.

6

L'enlèvement de Cassandre

Une ombre double se découpe dans le rectangle clair de la porte du bureau de la directrice adjointe. Madame Visvikis n'y prête aucune attention. Elle parle au téléphone, le sourire fendu jusqu'aux oreilles.

— Ha, ha, ha! Vous exagérez, Wilfrid… Oh, Wilfrid! Ha, ha!

L'ombre à deux têtes a un mouvement de recul. La directrice adjointe en prend vaguement note dans un recoin obscur de son subconscient et l'oublie aussitôt. Plongée dans sa conversation, elle écarquille les yeux et éclate d'un rire strident.

— Ha-ha-ha-ha-ha-hiijjjjjjjjij… Haaaaaa!

Tremblement de poitrine, au moins 8 sur l'échelle de Richter. Le collier de fausses perles tressaute dans les frisons de la blouse à jabot. La

Visvikis arrondit les épaules, se donne un élan et fait pivoter sa chaise vers le mur derrière elle. Seule sa permanente est visible au-dessus du dossier. Les frisettes tremblotent. Le rire se transforme en hurlement.

— Arrêtez, arrêtez, vous me faites mouriiiir! Haha... Hiiiiiihaaaa!

La chaise se remet en mouvement et revient lentement dans sa position habituelle, face au bureau. Face à la porte... Le rire s'étrangle, devient coassement. L'ombre se précise et refait surface dans la conscience de la directrice adjointe. Deux élèves embarrassés se tiennent dans l'encadrement de la porte et contemplent leurs souliers. Repivotement d'un quart de tour sur la gauche.

— Ne... euh... ne quittez pas, susurre la Visvikis dans l'appareil. Je vous reviens tout de suite.

Elle plaque sa main sur le récepteur et l'enfouit dans les profondeurs de sa jupe. Repivotement vers le centre. Freinage de chaise. Froncement de sourcils. Mathieu et Patricia échangent un coup d'œil catastrophé. Ils n'auraient pas pu arriver trois minutes plus tard, non? Les yeux de la Visvikis flamboient et livrent un message on ne peut plus clair aux intrus. Elle n'a pas du tout apprécié l'interruption. Se demande ce qu'ils ont entendu. Prise en flagrant délit de flirt. Inconcevable pour une personne de sa position. Impardonnable pour ceux qui ont osé...

— Qu'est-ce que vous faites là, plantés dans la porte comme des piquets de clôture? lance-t-elle sèchement. Vous auriez pu frapper! Allez attendre dans le corridor, que je vous appelle!

Les coupables battent en retraite, encore plus coupables qu'à leur arrivée. Mathieu referme la porte sans bruit. Patricia, le cahier serré contre elle, pose une fesse sur le rebord d'une des chaises alignées contre le mur. Ses yeux se mouillent.

— Mathieu… qu'est-ce qu'on va faire?

Il hausse les épaules et se renfrogne.

— Tu parles d'une idée, aussi, d'apporter le cahier à l'école! On aurait pu attendre à ce soir pour continuer à le lire.

— Je ne pouvais pas attendre…, gémit Patricia. J'en avais lu un bout ce matin avant de partir et j'ai eu un choc en apprenant que Cassandre s'est mise à boire. Je n'osais pas la laisser toute seule à la maison…

Mathieu hausse les épaules.

— Elle aurait quand même pas dévalisé le bar de tes parents en ton absence!

Patricia lui lance un regard noir. Mathieu ouvre les mains.

— O.K., mais tu aurais pu attendre la pause du midi, au lieu de me passer le cahier pendant le test de maths!

— Ce n'est quand même pas ma faute si Cadavre a une dent contre moi! réplique Patricia d'une voix plaintive. Aussitôt que j'ai le malheur d'éternuer de travers, il m'envoie chez la Visvikis! N'importe quel autre prof m'aurait donné un simple avertissement, mais lui…

Mathieu lève les yeux au ciel. Cadavre, c'est le surnom de leur prof de maths. Un grand maigre aux dents longues et au teint verdâtre. C'est un des meilleurs profs de l'école, mais il n'a aucune patience avec ses élèves. La moindre peccadille leur vaut un renvoi immédiat de la classe. S'il avait droit à une ristourne chaque fois qu'il catapulte un élève chez la Visvikis, il serait riche à l'heure qu'il est. Et, pour une raison inconnue, Patricia semble être sa cible préférée.

La porte du bureau s'ouvre brusquement.

— Entrez, vous autres !

— C'est… euh… c'est personnel ! balbutie Patricia en s'agrippant désespérément à son cahier. Très, très personnel.

Mathieu hoche vigoureusement la tête pour signifier qu'il seconde l'argument de sa blonde.

La Visvikis tend la main vers le manuscrit, paume en l'air, et agite les doigts avec impatience.

— Donne !

— C'est personnel, répète Mathieu en se plaçant devant Patricia.

— Ah oui ? ironise la directrice adjointe. Assez personnel pour se le passer d'un pupitre à l'autre en pleine classe !

— C'est mon journal intime ! réplique Patricia sans réfléchir.

— Son journal intime, répète Mathieu.

— Toi, le perroquet, attends qu'on te sonne! jette sèchement la Visvikis.

Elle contourne son bureau, écarte Mathieu de la main et se plante devant Patricia, qui recule.

— Comme ça, tu apportes ton journal intime à l'école pour le faire lire aux autres pendant les cours? Bonne idée! J'ai hâte de le lire, moi aussi. Ça doit être passionnant. On pourrait même en lire des extraits à l'interphone, pour en faire profiter toute l'école.

Elle a un geste vers le bouton de l'interphone. Ses yeux luisent. Elle se lèche les babines d'excitation. On dirait un tigre se délectant à l'avance de sa proie. Patricia se tourne vers Mathieu pour puiser un peu de réconfort. Mais celui-ci a les yeux baissés. Il rumine encore la dernière phrase de la directrice adjointe. Un perroquet, lui? Ah, la vieille sorcière… La Visvikis en profite pour arracher le cahier des mains de sa victime.

— Vous n'avez pas le droit! proteste Patricia, au bord des larmes.

Mathieu se redresse.

— Pas le droit! fait-il en écho. C'est contre… contre la Charte des droits et libertés!

Il reste saisi par son audace. La Visvikis le toise d'un air méprisant.

— La Charte des droits et libertés! ironise-t-elle. Tu m'en diras tant!

Elle jette le cahier sur son bureau et, pour bien marquer son autorité, l'amarre solidement avec un énorme presse-papiers. Boum! Boule de verre. Deux kilos au moins.

Patricia enfouit la tête dans ses mains et gémit comme un animal blessé, le dos appuyé à la porte. Mathieu sent la moutarde lui monter au nez.

— Aimeriez-vous ça, vous, que des étrangers fouillent dans votre vie intime ? lance-t-il en soupesant du regard la boule de verre qui retient Cassandre prisonnière.

Il se voit la projeter à travers la fenêtre, au ralenti, comme dans un film. Crac ! Éclats de vitre. La Visvikis fige. Fuite avec le cahier rescapé. Sonnette d'alarme. Folle poursuite dans les corridors.

La directrice adjointe se penche par-dessus son bureau et y assène un coup de poing à faire trembler les fondations de l'école.

— Ma vie intime, je la garde privée, MOI ! Je ne la traîne pas à l'école, MOI, pour que tout un chacun puisse en rire !

— Je comprends, c'est plus drôle au téléphone ! rétorque Patricia du tac au tac.

Silence glacial… Patricia retient son souffle, atterrée par ce qu'elle vient de dire. Mathieu arrondit les épaules. S'il pouvait se transformer en carte postale et se glisser sous la porte, il n'hésiterait pas une seconde.

— DEHORS ! hurle la Visvikis en tirant violemment sur un coin du cahier pour le dégager.

Le presse-papiers atterrit sur la moquette avec un bruit sourd. C'est le signal de la débandade. Patricia ouvre la porte. Mathieu attrape le manuscrit, fait une passe à sa blonde et plonge dans le corridor. Cassandre est sauvée. Dans la vie actuelle de ses sauveteurs. Mais pas encore dans la sienne.

C

Mathieu pousse un petit sifflement ahuri et dépose le manuscrit à côté de lui, sur le lit.

— Ta Cassandre manque drôlement de caractère, déclare-t-il.

C'est ainsi qu'il exprime sa fureur et sa déception. Il vient de lire le passage qui a troublé sa blonde au point qu'elle a apporté le cahier à l'école sans réfléchir aux conséquences de son geste. Depuis ce matin, il a eu amplement le temps de remettre son horloge à l'heure juste. C'est maintenant qu'il en veut à Patricia de l'avoir entraîné malgré lui dans une situation aussi embarrassante.

Patricia cesse brusquement de se ronger les ongles.

— Ah, parce que tout à coup, c'est ma Cassandre? réplique-t-elle avec humeur.

Elle s'attendait à ce que son copain partage son angoisse, et voilà qu'il se dissocie d'elle.

— Si son merveilleux Mike décidait d'aller commettre un vol de banque, je gage que c'est elle qui tiendrait le revolver! ajoute Mathieu.

Patricia croise les bras.

— Tu comprends rien à l'amour, Mathieu Tousignant.

— L'amour? Se soûler avec quelqu'un pour pas le perdre, tu appelles ça de l'amour, toi? Moi, j'appelle ça de l'à-plat-ventrisme!

— De laplavanquoi?

— De l'à-plat-ventrisme! Définition: se mettre à plat ventre pour plaire à quelqu'un!

Patricia monte sur ses ergots.

— En tout cas, pas de danger que ça t'arrive à toi, hein ? Tu serais bien soulagé de me laisser tomber à la première occasion !

Elle lui tourne le dos. Mathieu la prend par le bras et la force doucement à pivoter sur elle-même.

— Wo, c'est un peu fort, ça ! Je t'ai laissée tomber, moi, dans le bureau de la Visvikis ?

— Non, admet Patricia à contrecœur, en dégageant son bras. Tu m'as pas laissée tomber, au contraire. Mais je te trouve pas mal injuste envers Cassandre. On est qui, nous, pour la juger ?

— Je ne la juge pas, réplique Mathieu d'un ton sec.

— Oui, tu la juges !

Il hausse les épaules.

— O.K., je la juge. Et après ? J'ai le droit d'avoir mon opinion, il me semble. Je ne suis pas une marionnette. Je ne suis pas obligé de ressentir tout ce que tu ressens, de penser tout ce que tu penses, de réagir comme tu réagis.

Patricia se détend légèrement.

— C'est vrai, mais tu pourrais montrer un peu de solidarité.

— Je fais rien que ça, figure-toi donc ! rétorque Mathieu.

— Ah oui ? Comment tu fais ça ?

Mathieu n'apprécie pas l'ironie.

— T'as pas remarqué ? Je lis le foutu roman avec toi, même si ça me crée des emmerdements.

Patricia croise les bras.

— T'es pas obligé de continuer !

Mathieu reprend le manuscrit.

— Justement, je ne suis pas obligé. Si je continue, c'est parce que j'en ai envie, point. Pas pour te faire plaisir. Saisis-tu la nuance?

Elle la saisit.

Le Roman de Cassandre

Mon père en personne est venu me cueillir aujourd'hui à la sortie de l'école, en me disant que je suis mineure – il n'a pas pensé que je l'étais encore plus, le jour où il m'a jetée dehors – et qu'il est légalement responsable de moi en cas de bêtise ou de malheur. La belle excuse! Elle arrive un peu tard pour être crédible. En tout cas, moi, je ne la gobe pas.

Ce n'est pas un père éprouvé et aimant que j'ai retrouvé devant moi, mais un père ennuyé d'avoir été dérangé. C'est le seul que j'ai connu, d'ailleurs. Oh, tu penses que j'exagère, Cahier, que je fais ma petite révolte d'adolescente. C'est faux. Je l'aime, mon père. Lui ne m'aime pas. Ces choses-là, on les sent, quoi que tu puisses en penser. Mon père n'est pas méchant, au contraire. Il est incapable d'aimer, c'est tout.

La direction de l'école lui a téléphoné pour l'aviser et se plaindre de mes absences répétées. Qu'a-t-il bien pu leur répondre? En bon père, il n'a sûrement pas osé leur avouer que je n'habitais plus sous son toit. Je ne sais quelle histoire il a pu raconter, des promesses de sanctions, sans doute. On a cru à sa bonne foi, on l'a plaint d'avoir une fille aussi ingrate. La directrice m'a fait venir dans son bureau après la classe et m'a passé tout un savon sur l'importance des devoirs filiaux. Je n'ai pas bronché. Et, surprise..., mon père m'attendait à la porte, dans son habit du dimanche, l'air furieux et très digne, comme il se doit. Je n'ai fait aucune manière pour le suivre au restaurant. J'avais une crotte sur le cœur, et une grosse.

Il a commandé deux cafés et m'a annoncé qu'il avait pris ses dispositions pour que j'aille vivre chez ma tante, à Sorel, jusqu'à mes dix-huit ans. Il s'attendait sans doute à ce que je pleure, à ce que je le supplie de renoncer à son projet. Mais j'avais un atout dans ma manche, et je l'ai sorti: je n'ai qu'à porter plainte contre lui pour abandon de mineure, et c'est lui qui est dans le trouble. C'est du chantage, je le sais, mais je m'en fous. Après tout, il m'a chassée de sa maison, me laissant à moi-même pendant plusieurs mois, sans se préoccuper de ce qui pouvait m'arriver.

Je n'ai pas ajouté qu'il ne serait pas à mon avantage d'aller me plaindre aux autorités. On entreprendrait une enquête et on me placerait dans un foyer ou dans un centre. Très peu pour moi, merci. Mon père, sous le coup de l'émotion, n'a pas vu que je bluffais. Il a eu peur du scandale et il a voulu négocier.

Il a changé d'air tout à coup. Son visage rougeaud a viré au gris cendre. Il a modifié sa chanson: il est prêt à me reprendre, à me pardonner, à passer l'éponge. Si seulement je voulais faire l'effort de m'entendre avec sa femme, elle n'est pas une mauvaise personne et elle se fait beaucoup de souci pour moi, comme si j'étais sa propre fille. Le pire, c'est que j'y crois, j'en suis même persuadée. J'ai des antennes spéciales pour les accents de vérité. Et je parie que je saurais gagner la sympathie de ma belle-mère. Mais il est trop tard. Je n'ai pas besoin d'un substitut de mère, mais d'un vrai père.

Si je sentais que mon père tient réellement à moi, j'accepterais avec soulagement son invitation. Je meurs d'envie d'avoir un vrai chez-moi, un endroit propre et clair, avec de la nourriture à chaque repas sur la table.

De vrais draps dans mon lit, un bon matelas sans bosses. D'autres personnes que moi pour assumer les grosses responsabilités comme celle du loyer. J'ai envie de quitter Mike une fois pour toutes et d'avoir quelqu'un à mes côtés pour me soutenir dans ma décision, pour m'aider à tenir le coup. Quelqu'un pour dresser une barrière protectrice entre Mike et moi. Je suis certaine que mon père en serait capable. Il a énormément de caractère. Mais il ne m'aime pas. Je n'invente rien. Mon père n'a jamais voulu de moi depuis le jour de ma naissance, et il a d'excellentes raisons pour cela. Je le comprends et je ne lui en tiens même pas rigueur.

Je n'ai tout simplement pas la force d'être hébergée chez lui par charité. Ça, je le lui ai dit franchement, sans sourciller. J'avoue que j'attendais une réaction de sa part. Il n'a même pas protesté, ne serait-ce que pour la forme.

Elle est jolie, mon histoire, hein, Cahier? On dirait de la pure fiction. Mais ne t'y trompe pas. Tous mes personnages sont réels.

Après une longue discussion, mon père a accepté de me laisser libre, comme il dit, en me jurant qu'il me faisait entièrement confiance, avec le ton de voix de ceux qui ne sont pas certains que leur confiance est méritée. J'ai dû jurer à mon tour que je ne manquerais plus l'école sans motif grave. S'il m'arrivait d'être malade, je n'aurais qu'à passer un coup de fil chez lui et aviser sa femme qui, à son tour, avertirait l'école. Il m'a fait promettre de bien me conduire, d'être sérieuse, et m'a promis en retour de me verser une allocation mensuelle. Un rendez-vous par mois dans le même restaurant. C'est plus facile pour lui, j'imagine.

*Passation d'enveloppe en territoire neutre. Il m'a
assuré que sa porte me resterait ouverte en tout temps.
C'est déjà beaucoup, compte tenu des circonstances.*

*Par contre, il ne m'a même pas demandé où
j'habite, ni avec qui. Il n'a pas cherché à savoir
comment je me débrouille. Je n'ai pas insisté. Ça lui
est égal, je suppose. En me quittant, il m'a refilé cent
dollars pour que j'aille m'acheter des vêtements
convenables.*

*Je l'ai regardé monter dans sa belle voiture et j'ai
regretté de ne pas avoir pu lui dire que je l'aime et que
je me sens malheureuse d'avoir gâché sa vie. Si je
l'avais fait, j'aurais eu l'impression de quêter son
amour. Je ne suis pas une quêteuse.*

*Je suis retournée chez moi, dans ce faux chez-moi
où Mike m'attendait en puant la bière. Je ne boirai
plus avec lui, quoi qu'il arrive. Mais je lui ai donné
une partie de l'argent de mon père pour qu'il aille
prendre un coup avec ses copains et qu'il me fiche la
paix. J'en suis rendue là.*

*Dis-moi, Cahier, toi qui achèves ta vie, ce qu'il
me reste à espérer de la mienne.*

7

Secrets de famille

PATRICIA

Si seulement je pouvais accueillir Cassandre dans ma famille pour quelque temps… Elle verrait ce qu'est une vraie maison, à la fois paisible et bruissante de vie. Deux parents, des draps propres, de la nourriture variée aux repas, des rires, de la complicité. C'est fou ce qu'on peut oublier à quel point on est bien chez soi. Je m'en rends compte, tout à coup.

Mes parents s'entendent à merveille, ce qui est assez rare de nos jours pour un couple marié depuis près de vingt ans. Je les observe souvent, à leur insu. Ils m'intriguent. On voit qu'ils prennent un réel plaisir à être ensemble, mais c'est comme un plaisir secret. Peut-être pas secret, puisqu'ils ne se cachent pas, mais discret. Très, très discret. C'est même parfois gênant pour nous, les enfants. Ils ont leurs signes : un hochement de tête, un regard, une main sur l'épaule, un sourire particulier. Mon père, qui parle tout le temps – j'ai de qui tenir –, s'arrête souvent au beau milieu d'une phrase pour regarder ma mère ou lui faire un clin d'œil. Aucun rapport avec la conversation. Elle lui répond par un sourire, il reprend son discours, et bien malin qui pourrait expliquer ce qui vient de se passer entre eux. C'est assez frustrant pour les autres, comme si on venait de manquer quelque chose de spécial. On se sent exclus. Ça, c'est leur côté couple. Car ils ont plusieurs facettes : le couple, les parents (un bloc compact), les individus. Je me demande comment on peut arriver à être autant de personnes en même temps.

Ma mère est une femme intérieure et non une femme d'intérieur, comme elle se plaît à le souligner. Elle transporte sa bulle partout où elle va. Elle a plein d'histoires dans sa tête et les mûrit lentement avant de les écrire. C'est sa période d'incubation. Son corps est présent, mais une partie de son esprit vogue ailleurs. Je n'irai pas jusqu'à prétendre qu'elle ne voit pas ce qui se passe autour d'elle. Ma mère est là pour nous. Mais elle vit une portion de sa vie dans un monde à part. On dirait que ses mains ont appris à travailler toutes seules pendant que son cerveau échafaude des scénarios. Et quand le scénario est à point, la fièvre d'écrire l'envahit. Lorsqu'elle écrit, elle ne répond plus au nom de « maman », il faut l'appeler par son prénom, et plusieurs fois de suite, avant qu'elle reprenne pied dans la réalité.

Mon père, lui, est du genre ultra-extra-sociable. Sa profession d'avocat l'amène à voir beaucoup de monde à son bureau et à recevoir quantité d'appels à la maison. Je n'ai jamais observé de signe de jalousie chez ma mère, même quand il s'agit d'appels féminins. Elle sait que mon père l'aime, et ça lui suffit. Elle ne ressent même pas le besoin de le vérifier à l'occasion. Je le sais, parce que je lui ai déjà posé la question. Une chose que j'apprécie de ma mère, c'est qu'elle répond toujours franchement à mes questions, sans faire de détours.

Je ne suis pas aussi sûre de moi avec Mathieu. C'est vrai qu'il n'est pas dans ma vie depuis dix-sept ans, lui. Je voudrais toujours savoir à quoi il pense, comment il me trouve, s'il se sent bien dans notre relation. Le soir, je peux passer des heures à décortiquer la moindre phrase de nos conversations, à analyser le moindre de ses gestes et à leur trouver un sens caché. J'imagine toutes sortes de scénarios, je réécris l'histoire de ma journée, j'invente d'avance celle du lendemain. C'est très fatigant.

Au moins, je n'ai pas besoin de vérifier si mon père m'aime. Je le sais. Chez nous, dans ma famille, les « je t'aime » tapissent pratiquement les murs, ils flottent dans l'air. Ils sortent en fumée par la cheminée, l'hiver. L'été, ils poussent dans le jardin comme des fleurs. On se les dit, on se les chante, on se les crie.

Mathieu et moi, on n'a pas discuté de ce qu'on a lu hier soir à propos du père de Cassandre. On s'est juste regardés, on a éteint la lumière et puis on s'est serrés l'un contre l'autre, en écoutant de la musique.

Il est temps que j'aille faire mon rapport à Madame Mary-Jane. Elle s'intéresse beaucoup à l'histoire de Mike. Beaucoup plus qu'à celle de Cassandre, en fait. C'est de lui qu'elle s'inquiète. Je l'ai trouvée injuste. Quand je lui en ai passé la remarque, elle m'a révélé que son défunt mari était alcoolique. J'ai voulu la plaindre, mais elle m'a tout de suite arrêtée.

— C'est lui qu'il faut plaindre, m'a-t-elle dit. C'est lui qui s'est tué avec ce poison. Pas moi.

J'avoue que je n'ai pas su quoi lui répondre.

C

Le snack-bar de Pop ouvre à sept heures pile tous les matins, afin d'accommoder les jeunes qui se rendent à la polyvalente. On y sert des petits déjeuners à prix très modique. Le café est gratuit entre sept et huit heures, et on peut reprendre des crêpes à volonté. Pop les fait croustillantes et bien dorées.

Huit heures moins quart. Le snack-bar vient de se vider de sa clientèle d'adolescents. Perché sur un tabouret au comptoir, un représentant en produits pharmaceutiques parcourt son journal avant d'entreprendre sa tournée du quartier. Pop sort de sa cuisine, le salue et s'engage dans l'escalier con-duisant à l'étage, où il a ses appartements avec sa mère. Josie, la serveuse du matin, refait du café et commence à nettoyer les tables. Une de celles-ci est encore occupée malgré l'heure avancée. Josie jette un coup d'œil de reproche vers l'étudiante qui s'attarde avec la mère du patron au risque de manquer son premier cours.

Patricia hésite en effet à partir. Son déjeuner lui reste en boule dans l'estomac. Elle a la désagréable impression d'avoir été ignorée, d'avoir parlé dans le vide depuis une demi-heure. Mary-Jane paraît très nerveuse aujourd'hui. Elle n'en finit pas de s'agiter sur la banquette, consulte sa montre aux trente secondes, et ses doigts pianotent sur la table. Patricia laisse finalement l'inquiétude l'emporter sur son sentiment de frustration.

— Vous sentez-vous bien, Madame Mary-Jane ?

La mère de Pop sursaute et esquisse un sourire d'excuse.

— *Quoi ? … Oh, yes ! Yes, dear…* En pleine forme.

Patricia n'est pas dupe et pointe un doigt accusateur vers son amie.

— Vous, je vous connais. Il y a sûrement quelque chose qui vous tracasse.

Mary-Jane plisse les yeux.

— Tracasse ? *What is that ?*

— Se tracasser ! répète Patricia en cherchant un synonyme. Euh… se faire du souci, s'inquiéter.

Sans répondre, la vieille dame prend une gorgée de thé froid, fait la grimace, repose sa tasse, éponge soigneusement sa soucoupe avec une serviette de papier. Essaie-t-elle de gagner du temps ? Patricia se mord les lèvres, déjà prête à imaginer le pire scénario. Mary-Jane jette un bref regard vers la fenêtre, puis vers le comptoir où la serveuse est en grande conversation avec le représentant, et se décide enfin à ouvrir la bouche.

— *Well...*, je ne sais pas si je peux en parler. C'est gênant.

Elle bat des paupières, prend un air délicieusement pudique. Un peu plus, elle rougirait comme une jeune fille.

— Ne me dites pas que vous avez un amoureux ! lance Patricia, estomaquée.

Mary-Jane porte la main à son visage.

— Un amoureux... à mon âge ? Oh ! *dear !*

Elle éclate de rire, mais on la sent flattée.

— En tout cas, vous en avez sûrement eu plusieurs, avec de beaux yeux comme les vôtres ! fait Patricia.

— Quelques-uns..., réplique modestement la vieille dame.

Elles rient de bon cœur, la glace est brisée. Pressée par l'heure, Patricia se lève pour partir. Elle embrasse son amie et lui murmure à l'oreille :

— Vous êtes sûre que tout va bien ?

Un bruit de pas à l'étage. Mary-Jane lève les yeux vers le plafond et prend une longue inspiration.

— Theodore va se marier, chuchote-t-elle rapidement.

Du coup, Patricia se rassoit.

— Pop va se marier ! Wow ! Avec qui ?

— Shhhh !

— Avec qui ? insiste Patricia en baissant la voix.

La vieille dame soulève le rideau de la fenêtre et le laisse retomber.

— Avec la facture.

Patricia tombe des nues.

— La facture? Quelle facture?

Elle a haussé la voix. La serveuse, qui vient de commencer à balayer la salle, s'immobilise.

— Je fais une facture?

Elle est surprise. Il n'y a jamais d'addition pour la mère du patron, évidemment, ni pour ses invités. Mary-Jane lui fait signe de continuer à balayer. Josie hausse les épaules et s'éloigne.

— Celle qui passe le courrier, poursuit la vieille dame comme s'il n'y avait jamais eu d'interruption à leur conversation.

Patricia reste un moment sans comprendre.

— Ah, la facteure! Je ne sais pas si ce mot-là existe. En tout cas. C'est Louise Lacasse. Je la connais.

— *Yes,* la *factu-eu-re.*

— Il la voit souvent?

— *Every morning,* quand elle vient porter les lettres.

Patricia s'anime, ravie à la perspective d'un mariage prochain.

— Oh! que c'est excitant! Il sort avec elle depuis longtemps?

— Je ne sais pas, réplique tranquillement Mary-Jane. Il ne m'a rien dit. Et je ne le *suivre* pas quand il sort.

— Mais qu'est-ce qui vous fait croire qu'ils vont se marier?

La vieille dame pousse un léger soupir d'impatience, comme si elle déplorait la lenteur d'esprit de son interlocutrice.

— Ils *vont* se marier, affirme-t-elle.

Patricia se prend la tête à deux mains. Sa vieille amie fabule! Elle perd le sens des réalités.

— Madame Mary-Jane…, commence-t-elle.

Le doute se lit sur son visage. La mère du patron relève le menton, offusquée qu'on puisse la prendre pour une menteuse.

— *Better believe it, dear.* Je connais mon fils. Il se rase juste avant que Louise arrive. Et il met de l'*after-shave.* À huit heures du matin!

— Mais tous les hommes font ça! proteste Patricia.

— Pas lui! réplique Mary-Jane. En tout cas, il ne se rasait pas pour l'autre *factu-eu-re,* celui qui passait avant Louise.

Patricia réprime un sourire. Le facteur précédent mesurait six pieds, portait une moustache et ressemblait vaguement à un tueur à gages. Mais elle saisit le raisonnement de son amie: Pop modifie ses habitudes, et ce n'est pas sans motif.

— Et tous les matins, à huit heures quinze, il nettoie la vitre de la porte, poursuit Mary-Jane. Il sort dehors, il dit que c'est pour vérifier la température. *He is waiting for her. I know that.*

Patricia hoche la tête et jette un coup d'œil inquiet à la grosse horloge au-dessus du comptoir. Le premier cours commence dans sept minutes.

— D'accord, je vous crois, soupire-t-elle. Mais on en reparlera plus tard, si vous voulez. Excusez-moi, il faut que je me sauve.

Piétinements dans l'escalier intérieur. Mary-Jane met un doigt sur sa bouche et tourne la tête vers le fond du snack-bar où Pop apparaît, le visage rouge et luisant, rasé de frais. Il répand une forte odeur d'eau de Cologne, perceptible jusqu'à leur table. Il tient un chiffon et se dirige en sifflotant vers la porte.

— *See?* fait Mary-Jane, triomphante.

Patricia pouffe derrière sa main.

— Vous avez probablement raison. Il y a quelque chose dans l'air, et pas seulement du parfum.

— J'aime beaucoup Louise, chuchote la vieille dame. Je la rencontre souvent aux réunions de bénévoles à l'église. Elle a un beau petit garçon de trois ans, *you know.*

— Votre famille va peut-être s'agrandir ! conclut Patricia en lui tapotant la main. Mais cessez de vous en faire. C'est mauvais pour votre santé. Et puis, comme vous me le répétez souvent, c'est le temps qui arrange les choses.

Les yeux clairs de Mary-Jane, bleus comme ceux d'une poupée de porcelaine, se voilent légèrement.

— C'est vrai, *dear.* Mais pas pour moi. Tu comprends, il ne me reste plus beaucoup d'années pour être grand-mère…

C'est la deuxième fois, en très peu de temps, que Mary-Jane fait allusion à son âge avancé.

Patricia arrondit les épaules, comme pour prendre sur elle le fardeau d'années qui pèse tant sur son amie. Elle se sent démunie, tout à coup, et très faible.

Pop, qui frotte la vitre extérieure de la porte, lui sourit.

— À demain, Patricia.

Elle lui jette un regard noir.

— Demain, Monsieur Pop, il sera peut-être trop tard.

Le Roman de Cassandre

3 novembre

Mike boit de plus en plus, mais je n'ai pas retouché à une seule goutte. C'est facile pour moi, à cause de mon dégoût. Pourtant, je me sens complètement déprimée. Je pleure tout le temps, je n'arrive pas à reprendre le dessus. Mes notes s'en ressentent. Je ne vois plus mes amis. Je n'ai envie de rien.

Je viens de passer une soirée épuisante à essayer de faire comprendre à Mike que ce n'est pas sur lui que je lève le nez. Je n'ai pas trouvé les bons mots. À la fin, il est parti en claquant la porte. Il en avait assez de me voir pleurer. Je voudrais bien pouvoir me contrôler davantage. Je suis en train de tout gâcher, pour lui et pour moi.

Mike a eu la vie tellement dure avant de me rencontrer. Des fois, je pense que c'est ma faute s'il n'est pas plus heureux maintenant. Je n'ai pas le tour avec lui. Il y a sûrement quelque chose que je fais, ou que je ne fais pas, pour qu'il se réfugie dans l'alcool au lieu d'être avec moi.

Tout à l'heure, je me sentais étouffer sous le poids de ma peine et de mon impuissance. Je suis sortie sur le balcon. J'ai entendu une sirène d'ambulance au loin, on aurait dit une sorte d'appel, de signal. Je me suis penchée pour regarder en bas. Et tout à coup, comme dans un film, je me suis vue plonger dans le vide et m'écraser sur l'asphalte. Tout se passait au ralenti. Une partie de moi voyait le film, l'autre partie jouait dedans. Je tombais, je tombais dans ma tête, et je sentais le choc de l'impact se répercuter dans chacun de mes nerfs, dans chacun de mes os. J'ai été prise de vertige. Je ne sais pas combien de temps je suis restée accrochée à la rampe du balcon, incapable de faire un mouvement.

Je ne me souviens pas d'être rentrée, ni d'avoir composé le numéro de Nathalie. Mais je me rappelle que je tremblais de tous mes membres et que je criais dans l'appareil. Ça ne peut pas être un rêve, Nathalie vient de me rappeler pour me dire qu'elle arrivait. Et je me retrouve en train de te raconter tout ça, pour me donner le courage de me laisser emmener.

Ce courage, je ne l'ai pas, Cahier. Je me sentirais trop lâche d'abandonner Mike. Il a besoin de moi. Je sais qu'en rentrant il va me prendre dans ses bras en me demandant pardon.

J'ai décidé de rester. Je ne répondrai pas au téléphone. Je n'ouvrirai pas la porte à Nathalie. J'attends Mike. Il a sa clé.

8

De la vie et de la mort

Mathieu reste longtemps silencieux, le visage enfoui entre ses mains. Tellement longtemps que Patricia s'en inquiète et lui touche l'épaule.

— Matt ? Ça va ?

Il hoche la tête sans répondre. Leurs séances de lecture les laissent de plus en plus déconcertés. Cassandre fait partie de leur vie, maintenant. Une très forte empathie s'est développée entre eux et ce personnage qui n'en est pas un, puisqu'il existe vraiment quelque part. Ils voudraient faire quelque chose pour Cassandre, et ils se sentent complètement impuissants. Ils ne peuvent même pas lui apporter un soutien moral. Ils brûlent d'intervenir, mais se voient relégués malgré eux au rang de simples spectateurs.

Ils ont vite abandonné l'idée d'enquêter dans le quartier. La futilité de leurs efforts leur est rapidement apparue. Même en supposant que le cahier n'ait été enterré que depuis peu, de quel droit se renseigneraient-ils sur une inconnue qui a choisi de garder l'anonymat? Comment enquêter sur elle sans la trahir? Ils ne peuvent tout de même pas aller frapper à la porte de chaque immeuble miteux. Le fil de leurs déductions est trop faible pour tisser une trame solide.

— Mathieu? répète Patricia. Es-tu là?

Mathieu commence à parler, d'une voix sourde, les doigts ouverts en éventail contre sa bouche.

— Quand j'étais en sixième année, juste après ma sixième année, pendant les vacances d'été…, mon cousin Jacques…

Le souffle lui manque. Il avale une gorgée d'air, ce qui produit un bruit bizarre dans sa gorge.

— Ton cousin Jacques? répète doucement Patricia pour l'encourager à continuer. Il lui est arrivé quelque chose?

Mathieu inspire et expire brusquement.

— Il s'est suicidé.

Patricia ferme les yeux, prise de frissons.

— Il venait d'avoir dix-neuf ans, poursuit Mathieu. C'était mon idole. Un champion de natation et de tous les sports. Un athlète, un dur de dur, un gars qui n'avait jamais été malade une seule minute de sa vie. Un grand frère, un vrai chum. Et il s'est tué, Pat. Il s'est noyé.

Sa voix se brise.

— Pourquoi? murmure Patricia. Pourquoi?
Un long, long soupir…

— Peine d'amour. Sa blonde l'avait lâché.

— Ça ne se peut pas, voyons! s'indigne
Patricia. Ce n'est pas une raison valable de se
suicider!

Mathieu écarte les doigts et regarde fixement
son amie. Ses yeux sont froids, sa bouche a un pli
amer.

— En connais-tu, toi, des raisons valables de
s'enlever la vie? De se crisser en bas d'un balcon, de
s'ouvrir les veines, de faire une overdose, de projeter
son char contre un arbre, de se laisser couler à pic
au fond d'un lac? En connais-tu, des raisons
meilleures que les autres pour se suicider?

Patricia baisse la tête et se tord les mains.

Mathieu se lève et marche de long en large
dans la chambre. Il serre les poings. Le sang lui bat
les tempes. Tant d'années se sont écoulées depuis la
tragédie qui a marqué ses nuits d'insomnies et de
cauchemars. Tant de silence lourd… Sa famille a
étouffé l'affaire. Par pudeur, par gêne. Par discré-
tion, peut-être. Chez lui, on ne parle pas ouverte-
ment de ces choses-là. Ou si on en parle, c'est à
mots couverts, et surtout pas devant les enfants.
Personne n'a imaginé qu'il pouvait souffrir
atrocement, lui, le petit gars de sixième année qui
ne disait jamais un mot plus haut que l'autre.
C'était une histoire entre adultes, entre frères et
beaux-frères, sœurs et belles-sœurs. Il revoit encore
la famille en conciliabule, les visages douloureux de
sa mère et de sa tante, les mâchoires crispées de son

père, les épaules affaissées de son oncle. Il entend les chuchotements et les sanglots, il les revoit se transformer en sourires figés et rassurants dès qu'il entrait dans une pièce. On a voulu l'épargner. On a cru le protéger. Tout s'est passé en dehors de lui. Et tout est resté en dedans de lui. L'image de Cassandre penchée au-dessus de son balcon, attirée par le vide, a suffi à ranimer la douleur secrète qu'il croyait endormie à jamais. Et il ne sait pas encore ce qu'il en fera, il ne veut pas le savoir. C'est la première fois qu'il entrouvre la carapace protectrice où il a enfermé sa souffrance. Il se sent tout nu. Il a froid.

Patricia n'ose ni le regarder ni le toucher. Pour une fois, sa spontanéité reste en veilleuse. Elle ne pleure même pas. Elle ne fait pas un geste vers lui. Elle n'essaie pas de trouver les mots qu'il faut. Mathieu lui en est reconnaissant. Il ne pourrait pas supporter des paroles de compassion ou de pitié, et elle le sent. Son instinct a pris la relève.

Mathieu saisit son manteau et l'enfile. Il effleure rapidement les cheveux de sa blonde et sort de la chambre sans se retourner. Patricia s'étend sur son lit et se concentre un long moment sur sa respiration. Puis, les yeux au plafond, elle compte lentement jusqu'à cent.

Le Roman de Cassandre

Je t'ai parlé de Nathalie sans même te dire qui elle était. C'est la blonde de mon frère. Pas sa vraie blonde, parce qu'il n'a pas envie de sortir sérieusement avec une fille. La notion d'engagement le fait paniquer. Mais Nathalie est son amie très chère, la plus proche. Son amante aussi, à l'occasion. Une fille de dix-neuf ans, très bien organisée dans sa tête. Ce n'est pas elle qui courrait après mon frère comme je me traîne aux pieds de Mike. Elle le laisse respirer, elle se garde du temps pour respirer elle-même. Elle est pourtant très sensible, Nathalie, toujours prête à aider ses amis, à les écouter, à les réconforter. Je me demande comment elle fait. Je l'admire beaucoup.

Nathalie m'a souvent recueillie chez elle quand je n'en pouvais plus d'endurer l'humeur massacrante de mon chum. L'autre nuit, quand elle est venue sonner à ma porte, je suis sortie sur le balcon et je lui ai crié de repartir, que tout allait bien, que j'avais seulement fait un cauchemar. Elle n'a pas insisté. Mike est rentré au petit matin, on s'est réconciliés comme d'habitude. Il est resté sobre pendant dix jours, il a même travaillé comme livreur de pizzas et m'a emmenée deux fois au cinéma.

Mais ça n'a pas duré. Une nuit, je suis allée frapper chez Nathalie. Je n'avais pas osé lui téléphoner avant, à cause de l'heure. Elle occupe un appartement au sous-sol de la maison de ses parents et dispose d'une entrée indépendante. Mais les murs ne sont pas insonorisés, et j'avais peur que la sonnerie du téléphone réveille toute la famille.

Il était une heure du matin. J'étais inquiète. Mike n'était pas rentré depuis trois jours. Il était reparti un soir en claquant la porte, en emportant ce qui restait de notre argent. Il m'avait traitée de tous les noms en criant qu'il me quittait, qu'il en avait assez de moi, mais je ne l'ai pas cru. Ce n'était pas la première fois qu'il me faisait le coup. Mais j'avais peur, cette fois. Il n'avait jamais été absent si longtemps. Il avait pris presque tous ses vêtements. S'il lui était arrivé un accident? S'il n'allait plus revenir?

Je sais bien ce que tu penses: ç'aurait été un bon débarras. Je le pense aussi, pour être honnête. Mais ça me fait honte. Quand on aime quelqu'un, on ne l'abandonne pas sous prétexte qu'il a des problèmes. Et puis, qu'est-ce que je ferais toute seule, à seize ans, dans un appartement minable? Où est-ce que je trouverais la motivation pour continuer mes études? Je me sens tellement seule au monde… Personne ne peut comprendre ce qui se passe à l'intérieur de moi.

Nathalie m'a écoutée sans dire un mot, le front plissé. J'aurais voulu qu'elle me dorlote, qu'elle me réconforte comme elle sait si bien le faire mais, ce soir-là, elle ne l'a pas fait. Quand j'ai eu fini de parler, elle m'a regardée droit dans les yeux et elle m'a dit froidement: «Cesse donc de pleurer et quitte-le avant qu'il soit trop tard.» Je lui ai répondu que ce n'était pas si facile.

Nathalie s'est fâchée. Je ne l'avais jamais vue aussi en colère. Elle ne criait même pas, elle chuchotait pour ne pas réveiller ses parents et c'était pire. «Tu ne comprends pas que tu es en train de te détruire ? Je ne peux plus supporter de te voir faire ça ! Tu ne t'en rends pas compte ? Ouvre-toi les yeux ! Personne autour de toi ne peut plus le supporter. Tu es belle, intelligente, *TU AS SEIZE ANS* et tu vis avec un porc dans une porcherie. On t'aime, et tu n'y crois pas. On veut t'aider, tu refuses. Peu importe ce qu'on te dit pour t'encourager, peu importe le soutien qu'on te donne, tu retournes toujours dans ta crasse physique et morale. Eh bien, je commence à croire que tu l'aimes, ta crasse ! »

Qu'est-ce que tu aurais fait à ma place, Cahier ? Nathalie avait raison, cent fois raison, mais tout ce qu'elle a réussi à faire, c'est à m'écœurer un peu plus de moi-même. Elle me renvoyait mon image en pleine face, celle qui me fait tant horreur et que je ne peux plus voir en peinture. Une image laide, sale, faible, une image à faire vomir. C'est moi, ça ? Comme si je ne le savais pas !

J'ai senti une porte se fermer entre Nathalie et moi. Je suis repartie. Je suis rentrée chez moi, pour m'apercevoir que je n'ai pas de chez-moi sans Mike.

J'ai fait mes bagages en pleurant. Je suis allée me réfugier chez mon frère. Je lui ai juré que c'était fini entre Mike et moi. Pour de bon. Je lui ai dit que j'étais prête à repartir à zéro et que j'avais besoin d'aide, de son aide et de celle de tous mes amis, pour y arriver. Il m'a tapoté l'épaule sans répondre et il m'a prêté son lit.

Je suis restée toute une semaine chez mon frère, je me croyais guérie de Mike. Je me suis remise à respirer. La vie était presque belle. Je m'aimais presque. J'ai beaucoup étudié. Je me suis acheté des vêtements avec *l'argent de ma pension, et j'ai visité des appartements à loyer modique avec Nathalie. Si tu savais comme tous mes amis ont été gentils avec moi! Une famille… Ma vraie et ma seule famille.*

Et puis tout a craqué. J'ai fait une rechute hier. J'étais toute seule chez mon frère, je regardais une vieille comédie à la télé. Mike est venu me chercher en pleurant. Il s'est excusé, m'a suppliée de le reprendre, m'a juré qu'il m'aimait et qu'on serait enfin heureux tous les deux. Que voulais-tu que je fasse? Je l'ai suivi, il était sobre.

Ce soir, il ronfle, la tête sur la table, au milieu des bouteilles vides, pendant qu'à côté de lui j'écris.

Toi qui dois digérer tout ça, Cahier, dis-moi pourquoi je ne suis plus capable de me digérer moi-même.

9

Fais-moi rire…

Patricia dépose le manuscrit, consciente de la tension qui persiste depuis quelques jours entre Mathieu et elle, comme une barrière invisible. C'est la faute du cousin Jacques, le noyé. Ils n'en ont plus reparlé, mais son souvenir ravivé le rend omniprésent.

Mathieu se passe la main sur le front, s'étire et se lève. Il a des fourmis dans la colonne vertébrale.

— Il faudrait qu'on accélère le tempo, lance-t-il. Lire petit bout par petit bout, ça n'a pas d'allure. Moi, ça me met les nerfs en boule.

— On ne peut quand même pas tout finir d'une seule traite! proteste Patricia. C'est trop difficile à digérer.

Mathieu lève les yeux au plafond.

— Ça y est…, soupire-t-il. C'est rendu que tu parles comme Cassandre.

— Et après? Ça te dérange?

— Moi, ce que je digère pas, poursuit Mathieu, c'est de devenir prisonnier de quelqu'un qu'on connaît même pas et qui envahit nos pensées, nos soirées, notre vie entière. Et pourquoi, je te le demande? Pour se faire du sang de cochon!

— Si ça t'énerve tant que ça, je vais le finir toute seule, le roman. Sens-toi pas obligé, hein? Je te demande rien, moi!

Patricia tourne le dos à son copain et déplace nerveusement les bibelots sur sa commode. Ses épaules tressautent. Mathieu s'approche, lui pose la main sur le bras.

— C'est pas vrai! Tu vas pas encore te mettre à pleurer! Tu sais que j'haïs ça.

Patricia se tourne vers lui, les poings aux hanches.

— Qu'est-ce que t'haïs aussi? Mes cheveux? Mes yeux? Ma façon de marcher? Dis-le!

— Les nerfs! réplique Mathieu en reculant. C'est pas moi qui ai déterré un roman qui nous met tout à l'envers, les élucubrations d'une espèce de... de toquée, qui cherche à se donner de l'importance aux yeux du monde!

Patricia sent ses cheveux se hérisser sur sa tête.

— Toquée? Tu oses traiter Cassandre de toquée? C'est dégueulasse! Et je te ferai remarquer, Mathieu Tousignant, que si elle a enterré son roman, c'est sûrement pas dans le but de le faire publier!

Mathieu se renfrogne.

— Oublie ça. C'est pas ce que j'ai voulu dire, tu le sais.

— C'est pourtant exactement ce que tu viens de dire ! Et ton cousin, lui, le suicidé d'amour, c'était pas un toqué dans son genre ? Le suicide, c'est aussi une façon d'attirer l'attention du monde.

— Aye, ça c'est vache ! explose Mathieu. Avoir su, je t'aurais jamais raconté l'histoire de mon cousin ! Jacques, c'était pas un personnage de roman, c'était un vrai gars !

— Et le cahier, riposte Patricia, tu penses peut-être que c'est un fantôme qui l'a écrit et qui est allé l'enterrer en plein bois ?

— Non, mais c'est quasiment comme si. Je la connais pas, cette fille-là. Toi non plus, sauf sur papier. Mon cousin, lui, je le connaissais en chair et en os. Il me manque, tu comprends pas ? Il me manque encore, après cinq ans ! Fais-tu exprès de tourner le fer dans la plaie ?

Il ouvre et referme les poings. Ses mâchoires sont crispées. Les aiguilles de son horloge interne sont déréglées et tournent à toute vitesse. Patricia soupire et tend la main vers lui. Leur affrontement a renversé la barrière de tension qui les séparait.

— Oh, Mathieu…, je suis désolée. Je te demande pardon pour ce que j'ai dit au sujet de ton cousin. Tu le sais bien, que son histoire me fait de la peine. Je suis cent pour cent avec toi là-dedans. Mais Cassandre, c'est comme quelqu'un de ma famille aussi, et je ne peux pas supporter que tu la rejettes. Je m'excuse, j'ai été méchante, je le regrette.

Mathieu lui prend la main, la porte à ses lèvres et la presse contre son cœur.

— Qu'est-ce qui nous arrive, Patricia ? On était tellement bien, avant. On faisait notre petite affaire, on pensait à rien, on se laissait vivre.

— Peut-être qu'on est en train de changer, Mathieu. On devient plus conscients.

Mathieu lâche la main de Patricia comme si elle le brûlait, soudain.

— Conscients de quoi, bordel ? Tu parles comme un ostid'psychologue !

— Arrête de sacrer, ça nous avance à rien.

— Change pas de sujet, réponds à ma question : conscients de quoi ?

Patricia hausse les épaules.

— Je le sais pas, moi. Qu'on est vivants, peut-être.

— Qu'on est vivants ! Non mais tu me niaises ! Tu veux rire de moi ?

— Je ne ris pas, Mathieu. Je ne ris pas du tout. Mais je ne pleure pas non plus. As-tu remarqué ? Je progresse. Pour moi, en tout cas, c'est un gros progrès.

— Patricia ?

— Quoi ?

— Fais-moi rire, O.K. ?

Elle hausse les épaules.

— Bon, gros bébé… Regarde-moi dans les yeux sans rire.

Ça marche à tout coup. Cinq secondes plus tard, Mathieu éclate de rire, et Patricia lui fait écho. Mais le rire de Mathieu s'étrangle dans sa gorge, comme si un nœud trop serré l'empêchait de passer. «Faut pas que je pleure, faut pas que je pleure», se répète-t-il intérieurement.

— Laisse-toi donc aller, dit Patricia sans le regarder. Je sais que moi j'exagère souvent. Mais il y a des fois où ça fait du bien de brailler. Ça lave le cœur. Pleurer, c'est comme rire à l'envers, pour se remettre à l'endroit.

— Ça sert à rien, je suis pas prêt, répond Mathieu dans un souffle.

Et il enfouit sa tête contre l'épaule de sa blonde, pour cacher les larmes qui lui montent aux yeux, mais sans pouvoir déborder. Ce sont de vieilles larmes de rage, celles d'un petit gars de sixième année qui n'a jamais accepté la mort de son grand copain. De quoi se mêle Cassandre? Elle a réveillé Jacques, et ça fait mal. Il ne veut plus avoir mal. C'est fini. Tout va bien. Il reprend le contrôle de lui-même.

Il s'écarte légèrement de Patricia et lui sourit. Elle le saisit par les épaules et plonge son regard dans le sien.

— Je t'aime, Mathieu… Si tu savais comme je t'aime…

Sans le savoir, elle a prononcé les paroles libératrices.

29 janvier

Je t'ai négligé pendant des semaines, Cahier. Mais tu vas me pardonner tout de suite en apprenant que j'ai commencé une thérapie. Si tu savais ce que ça fait du bien! Mais je suis loin d'être guérie. Je vis encore avec Mike et je ne vois pas l'heure de m'en sortir. Mais, comme dit Nathalie, je me suis au moins donné des outils pour y arriver.

C'est elle qui a eu l'idée de me référer à une cousine de sa mère, une personne qui fait de la « relation d'aide » ou quelque chose du genre. J'ai commencé par dire non. Non, non et non! J'étais même très choquée qu'on me propose d'aller en consultation. J'avais tellement honte! J'ai toujours cru que les thérapies, c'était bon pour les fous furieux, avec les camisoles de force, les chambres aux murs matelassés, les divans de psychiatre et les électrochocs. Nathalie m'a dit en riant que je regardais trop de vieux films. D'après elle, tout le monde va en thérapie, c'est la grande mode. Mais c'est une bonne mode, parce qu'elle renouvelle la garde-robe intérieure. Elle a de ces comparaisons, Nathalie! Je la verrais en relation d'aide.

Je peux bien t'avouer ce que je n'ai pas dit aux autres, Cahier. Au début, je n'ai pas entrepris cette thérapie pour moi, mais par curiosité, et dans l'espoir secret de pouvoir parler de Mike et de me faire donner des trucs pour l'aider à régler son problème. Je me sens en partie responsable de lui, responsable de notre échec.

La cousine Nicole s'occupe spécialement des adolescents en difficulté. Je ne l'ai vue que quatre fois jusqu'ici: deux fois toute seule, et les autres fois avec un groupe de jeunes. Il paraît qu'on va alterner comme ça tout au long de la thérapie.

En groupe, c'est beaucoup plus gênant. Tu fonds presque sur ta chaise. Tu as l'impression que tout le monde t'examine, jusqu'à ce que tu te rendes compte que tout le monde, justement, doit avoir la même impression. Tu n'as pas envie de parler, tu as peur d'avoir l'air... d'une vraie folle. Mais l'avantage, c'est que tu t'aperçois vite que tu n'es pas la seule à avoir des problèmes, ni même toute seule à avoir CE genre de problèmes. De constater que l'histoire de la fille ou du gars assis en face de toi ressemble étrangement à la tienne, ça rend tes misères pas mal moins dramatiques. Ça leur enlève du pouvoir.

Et puis tout à coup, sans que tu saches trop bien comment c'est arrivé, tu as le goût d'intervenir dans la discussion, de répondre à quelqu'un qui vient de passer une réflexion à voix haute. Tu as envie de crier: « Hé! j'ai vécu, ça, moi aussi! Hé! Je connais la sensation!» Tu te retiens à quatre pour ne pas y aller de ton petit conseil, tu te sens même capable de dépasser ce que les autres n'arrivent pas à surmonter. Tu te sens... en possession de moyens que tu ne croyais pas avoir. Je ne sais pas si tu vois ce que je veux dire. Il faut le vivre pour le comprendre.

Malgré les bons effets de ma thérapie, j'ai des rechutes sérieuses avec Mike. Je ne réussis pas à le sortir de ma vie, ni à sortir de la sienne. Je n'arrive pas à croire que ce soit la seule solution, la bonne. Tant que

111

je n'accepterai pas d'y croire, je ne pourrai pas m'y résoudre.

Au lieu de m'en vouloir, je me dis que j'ai besoin de temps pour y parvenir, et j'ai décidé de me l'accorder après en avoir parlé avec ma thérapeute. C'est comme un cadeau, m'a dit Nicole. Un cadeau que je me fais à moi-même. Avant, c'était à Mike que je donnais du temps, pas à moi.

Il m'arrive d'avoir pitié de Mike, de chercher encore la solution idéale à ses problèmes, de fondre d'amour devant un mot gentil ou de pleurer toutes les larmes de mon corps après une de ses tempêtes verbales. Il m'arrive de vouloir abandonner ma thérapie pour rester au chaud dans ma crasse, comme le dit si bien Nathalie. Je ne connais rien d'autre que ma crasse, et la propreté étincelante de l'inconnu m'effraie autant qu'elle m'attire. Je n'ai pas très confiance en ma petite personne, je l'avoue. Et l'avenir est comme un grand trou noir pour moi.

Il m'arrive aussi de crier comme Mike, d'essayer de l'amadouer, d'espérer le changer et tout remettre sur pied par la seule force de ma volonté. Je trouve toutes sortes d'excuses et de justifications à son comportement. Je te jure que c'est loin d'être facile. Mais Nicole ne m'a pas caché que j'ai énormément de travail à faire. Si elle avait prétendu le contraire, je me serais méfiée d'elle ou je me serais découragée.

La différence, c'est que j'ai maintenant une ligne de conduite. Elle tient en une phrase que je me répète souvent: «Je me distancie progressivement du phénomène Mike.» Pourquoi ajouter le mot phénomène? C'est pour éviter de personnaliser mon problème, de le cristalliser sur une seule personne. Mon problème ne s'appelle pas Mike, figure-toi. Rien que d'en prendre conscience, ça me libère d'un grand poids.

D'un autre côté, je ne suis pas Mike, je ne suis pas dans sa peau. Je ne suis pas sa béquille. Je ne suis pas son problème. Je ne suis pas responsable de ce qui se passe à l'intérieur de sa tête. Je ne suis pas responsable de ses humeurs, de son alcoolisme. Et je n'ai pas à me sentir coupable de quoi que ce soit. L'écrire me fait du bien, même si j'ai encore du mal à m'en convaincre.

Souhaite-moi bonne chance, Cahier. Ou dis-moi merde, comme au théâtre. J'en ai besoin.

10

Joyeux anniversaire !

PATRICIA

Puisque Cassandre est en thérapie, autant prendre un petit congé. On en a un urgent besoin, mon chum et moi. La fin de semaine arrive à point. Deux jours de répit, défense de toucher au manuscrit, défense de penser à Cassandre, défense de mentionner son nom.

Ça faisait une éternité qu'on n'était pas allés au cinéma. On a choisi le film le plus débile, une supposée comédie d'action. On s'est bidonnés, mais de la stupidité de l'intrigue, de la mauvaise performance des acteurs. On a tripé sur la niaiserie, et ça nous a fait du bien.

J'ai tellement pleuré depuis ma naissance que, pour la première fois de ma vie, j'ai l'heureuse impression d'avoir tari la source. Je souris tout le temps, je souris pour rien, c'en est presque gênant. Ma mère l'a remarqué et m'observe pensivement. On dirait qu'elle cherche à comprendre ce qui arrive à sa fille.

Mathieu est différent, lui aussi. C'est difficile à expliquer. Comme s'il y avait eu en lui des choses immobiles qui se sont mises à bouger, à changer de place, à se corder autrement. La preuve, c'est qu'il a tout de suite embarqué dans un projet qui l'aurait normalement ennuyé. Quand je lui en ai parlé, je m'attendais à un refus de sa part. Mais au lieu de se trouver des excuses et de me dire : « Vas-y, toi… », il m'a répondu que c'était une bonne idée. Il a même offert de vérifier si on avait besoin de faire une réservation.

Demain soir, on emmène Madame Mary-Jane souper au restaurant. Pas au snack-bar, évidemment. C'est son anniversaire. Le quatre-vingt-neuvième.

C

C'est encore plus beau qu'au cinéma : le décor, les bougies et les fleurs sur la table, la nappe immaculée, la vaisselle du dimanche, la musique d'ambiance. Madame Mary-Jane a revêtu une robe somptueuse, en tissu moiré aux reflets mauves. Un châle de laine mousseuse recouvre ses épaules, un camée orne son corsage. Une petite toque de fourrure posée sur ses cheveux ondulés ajoute une note coquette à l'ensemble. Elle a les joues roses et les yeux plus bleus que jamais dans la lumière douce des chandelles. Elle semble ravie de son escapade et très à son aise. Assise bien droite sur sa chaise, elle s'entretient avec le sommelier comme si elle n'avait fait que ça toute sa vie. Ils discutent du choix de vin. On dirait que c'est elle qui nous sort, une grand-mère de luxe initiant ses petits-enfants au monde fascinant des grands hôtels.

Je me sens très intimidée, et Mathieu n'en mène pas plus large. Il vient juste de voir les prix affichés au menu, et j'ai cru qu'il allait s'étrangler avec son bâtonnet de pain. On avait beau s'attendre à la dépense, ça donne quand même un choc. On se sent un peu déplacés dans l'atmosphère fabuleuse de l'hôtel Horizon. Mais c'est ici qu'on a choisi d'emmener notre amie. Et on ne s'est pas trompés. Le cadre lui convient à merveille. Elle a l'air d'une perle dans son écrin.

Quand on est allés la chercher au snack-bar, Pop nous a presque exaspérés avec ses recommandations. À l'entendre, on aurait cru qu'on procédait à un enlèvement. Il tenait à ce qu'on lui ramène sa mère à vingt-trois heures. Il nous a même demandé de lui téléphoner pendant la soirée. Il semblait très inquiet de la voir sortir en plein mois de novembre, comme si elle allait se momifier en posant le pied sur le trottoir. Mathieu l'a rassuré en déclarant qu'on n'allait certainement pas prendre l'autobus, mais un taxi.

Mary-Jane nous écoutait en souriant, comme si rien de tout cela ne la concernait. Au moment de partir, elle s'est tournée vers son fils d'un air coquin. J'ai bien compris ce qu'elle lui disait, même si elle s'est exprimée en anglais :

— Oh! j'oubliais! Louise doit passer au snack-bar tout à l'heure pour m'apporter une recette. Si tu as une question à lui poser, j'aimerais autant que ce soit le jour de mon anniversaire.

C'était drôle, parce qu'en anglais on dit : «*Pop the question*» en parlant de la grande demande en mariage. C'était presque un jeu de mots, et Pop s'est troublé. Il a rougi, il a toussé, puis il a éclaté de rire et a serré sa mère dans ses bras en lui murmurant quelque chose à l'oreille. Ça devait être très amusant, parce qu'elle s'est mise à rire, elle aussi. Je ne parierais pas ma chemise là-dessus, mais je crois qu'il voyait déjà Louise en cachette et qu'il n'osait pas l'avouer à sa mère. Il avait peut-être peur qu'elle le désapprouve ou qu'elle se sente abandonnée. Il oublie qu'elle a des antennes! À mon avis, Pop se sent un peu trop responsable de sa mère, ça l'empêche de vivre sa propre vie. Il est temps qu'il cesse de la traiter en bibelot fragile. Elle a la délicatesse d'une porcelaine, mais la résistance du fer forgé.

Pendant que j'aidais Madame Mary-Jane à enfiler son manteau, j'ai vu Mathieu attirer Pop dans un coin. C'était prévu, je savais qu'il était en train de lui expliquer notre plan. Pop a eu l'air très étonné, puis il a hoché la tête à plusieurs reprises en souriant. J'ai compris qu'il acceptait notre proposition. Mathieu me l'a confirmé en levant le pouce dans ma direction.

Finalement, c'est mon père qui a joué le rôle du chauffeur. Il ne lui manquait que la casquette. En arrivant devant l'hôtel, il est descendu de voiture, a ouvert la portière à Madame Mary-Jane, lui a donné le bras et l'a escortée jusqu'à la grande entrée où un portier nous attendait. Mathieu et moi, on avait la bouche grande ouverte tellement on était impressionnés. Et ce n'était que le commencement!

Le serveur numéro 1 – il y en a tant que je leur ai donné des numéros! – s'amène avec un plateau de hors-d'œuvre qu'il présente à Madame Mary-Jane comme s'il s'agissait d'un trésor royal destiné à une princesse. C'en est un, effectivement. Mathieu me prend la main sous la nappe et la presse nerveusement. Je lui réponds par un sourire de grande dame, calqué sur celui de notre invitée. On est loin des céleris au Cheez Whiz et des biscuits Ritz!

C

Je repense à notre soirée en me préparant pour la nuit, et j'en ris encore toute seule.

La surprise est arrivée au dessert. On l'avait organisée à la dernière minute, en espérant que tout se passe bien. Vers neuf heures, je me suis éclipsée aux toilettes et j'en ai profité pour donner un coup de téléphone à nos complices. Ils étaient prêts.

Le maître d'hôtel est arrivé trois quarts d'heure plus tard en s'excusant : il devait malheureusement nous changer de table. Il a expliqué à Madame Mary-Jane que la nôtre avait été réservée pour dix heures. Une fâcheuse erreur, d'après lui. La direction de l'hôtel était désolée du contretemps et espérait que notre soirée n'en serait pas perturbée pour autant. Il aurait dû être comédien, cet homme,

119

sa performance était parfaite. Si je n'avais pas été dans le secret, j'aurais gobé sa salade! Il nous a conduits en procession vers une petite salle particulière et s'est effacé pour laisser entrer Madame Mary-Jane.

Le flash d'une caméra… Surprise! Ils étaient quatre, autour d'une grande table, venus prendre le dessert avec nous: Yannick Lavoie et sa blonde Élodie, Nadia Larue-Meury et son copain Scooter. Cris de joie, embrassades, exclamations. Tout le monde parlait en même temps. Mary-Jane, le chapeau de travers, passait des bras de l'un aux bras de l'autre en répétant sans arrêt: *« Oh my, what a surprise! What a surprise! »*

Mais c'est l'arrivée de Pop qui a créé le plus gros effet. Je ne sais pas où il avait pu dénicher des fleurs un dimanche soir, à cette heure-là, mais le bouquet lui cachait entièrement le visage. Louise l'accompagnait, s'excusant à la ronde d'être habillée aussi simplement pour une si grande occasion. Elle n'avait pas prévu cette sortie et semblait très impressionnée. J'ai pensé que le hasard faisait bien les choses. Sans le savoir, nous avions tous donné un coup de pouce au destin.

Mary-Jane elle-même avait participé au complot. Elle était loin de se douter, en invitant Louise à passer au snack-bar en son absence, qu'elle précipiterait sa première apparition en public avec son fils. Et j'ai compris, en la regardant, à quel point c'était important pour elle. Chaque minute de vie lui est comptée, elle veut en tirer le maximum. Elle a insisté pour donner sa place à Louise, au bout de la table. Son anniversaire n'existait plus, elle en faisait cadeau à une autre.

On avait vraiment l'air d'un portrait de famille, tous ensemble. Les parents, la grand-mère, les enfants... J'ai versé quelques larmes, évidemment, et j'ai fait rire tout le monde en me mouchant dans ma serviette de table.

Des miroirs tapissaient les murs et agrandissaient la pièce. J'en étais un peu étourdie. Je nous voyais en double, en triple, prolongés à l'infini comme la table couverte de vaisselle brillante et de fleurs. Et j'ai pris conscience tout à coup, en nous observant, qu'on avait tous subi des deuils. La grand-mère de Yannick a été emportée par un cancer en septembre. Scooter a été orphelin pendant plusieurs années avant d'être adopté par les Labrie. Mathieu a perdu son cousin Jacques, Louise et Mary-Jane leur mari, Pop son père. Les parents de Nadia ont divorcé lorsqu'elle n'était encore qu'un bébé et ne se sont remariés que depuis peu. Élodie et sa meilleure amie Michelle ne se parlent plus depuis l'été dernier. J'ai eu une brève pensée pour mon Lancelot. Mathieu m'a pris la main, inquiet de mon silence. Je lui ai souri et j'ai quitté la fête des miroirs pour me replonger dans la vraie célébration.

J'ai découvert une chose importante ce soir. Une chose qui m'émerveille et qui bouleverse mon petit univers. On a tous subi des deuils, des pertes, des chagrins. Mais on a survécu. On est là quand même, débordant de rires et d'énergie. Quand on y pense, ça n'a aucun sens et c'est extraordinaire. On fait la fête, on tape sur la table avec nos cuillers, on se gave de nourriture. Il en était ainsi bien avant qu'on naisse, et ça va continuer encore longtemps après nous. Comme s'il n'y avait jamais d'interruption à la vie, quoi qu'il arrive.

Le Roman de Cassandre

18 février

Je n'ai rien écrit depuis trois semaines. C'est parce qu'on a déménagé, Mike et moi. On est rendus quelque part à la campagne, dans un vieux chalet tout croche au bord d'une route en terre bordée de bancs de neige hauts comme des gratte-ciel. C'est très sain, l'air pur. Ça fait du bien. En fait, on gèle comme des rats la plupart du temps.

Mais j'étouffe! J'étouffe!

Hé oui, j'ai fait une rechute! J'ai suivi Mike! J'ai tout lâché pour lui: l'école, mon travail, mon frère, mes amis, ma ville, ma thérapie!

Es-tu fier de moi, là? Tu t'en doutais bien, non? Tu le savais que ça arriverait!

Maudit Cahier, dis-le, que tu me trouves débile!

Dis-le qu'il n'y a rien à faire avec moi!

DIS-LE, QUE JE SUIS UN CAS DÉSESPÉRÉ!

Au secours, Cahier… Au secours!

11

En mille miettes

— Je m'en doutais…, murmure Mathieu. Après tout, comme tu dis, c'est pas un roman. C'est une histoire vraie. Ça peut pas bien finir.

Patricia redresse les épaules. L'attitude défaitiste de son chum réveille ses énergies combatives.

— Depuis quand les histoires vraies sont censées mal finir? Et puis, je te ferai remarquer, Mathieu Tousignant, que c'est pas encore terminé! Il nous reste plusieurs pages à lire. Moi, j'ai confiance en Cassandre. Je sais pas pourquoi, mais j'ai vraiment confiance.

Mathieu hoche la tête et pousse un soupir exaspéré.

— Cesse donc de croire aux miracles. Cette fille-là est très lucide. Elle ne se fait plus d'illusions. Elle sait que son cas est désespéré.

— Tu es l'être le plus négatif que j'aie jamais rencontré!

— Pas négatif. Réaliste. Moi aussi, je voudrais que Cassandre s'en sorte. Mais c'est fort, la dépendance!

Patricia sent l'indignation lui monter à la gorge.

— Quelle dépendance, Mathieu Tousignant? Tu sais bien qu'elle a arrêté de boire!

— Réveille! réplique Mathieu. Il y a beaucoup de sortes de dépendances. Cassandre est prise dans un cercle vicieux. Elle s'accroche à Mike comme à une bouée de sauvetage, mais c'est lui qui lui enfonce la tête sous l'eau.

— Coudonc, as-tu parlé à ma mère, dernièrement? ironise Patricia. Tu t'exprimes comme elle.

— Je me protège, répond Mathieu d'un ton boudeur. J'ai pas envie d'être déçu, c'est tout. On a laissé Cassandre prendre pas mal de place dans notre vie. Tu peux pas dire le contraire.

— C'est vrai, avoue Patricia. Et je le regrette pas.

— Ben moi, des fois, je me dis que c'est trop. J'ai pas envie de me retrouver en mille miettes à la fin de l'histoire, juste parce que ça finit tout croche.

L'image arrache un demi-sourire à Patricia.

— Si tu casses en mille miettes, je te ramasserai. Et je te recollerai. Mais attention, je sais pas si je vais mettre tous les morceaux à la bonne place!

Mathieu fronce les sourcils. C'est à son tour d'être choqué.

— Mon Dieu, Patricia, je te reconnais pas.

C'est rendu que tu fais des farces, et des farces plates à part ça, au lieu d'avouer que t'es aussi à l'envers que moi.

Patricia redevient sérieuse.

— Oui, je me sens à l'envers, Mathieu. Ça ne me dérange pas de l'admettre. Le cœur me fend depuis qu'on a commencé à lire le manuscrit. Non, depuis que je suis née. Je me suis toujours inquiétée pour tout, j'ai toujours braillé plus fort que tout le monde. Je braillais pour des riens, je faisais rire de moi. Je braillais pour des choses réellement tristes, et on me regardait quand même comme si j'étais anormale. T'inquiète pas, j'ai pas fini de brailler. Je suis faite comme ça, j'en prends mon parti. Mais j'en ai ras le bol de laisser mes émotions contrôler ma vie.

Mathieu s'approche de sa blonde et effleure sa joue mouillée.

— C'est quoi, ça, d'abord? De la pluie? À moins que ce soit le plafond qui coule?

— C'est toi qui fais des farces plates! Je sais pas ce qui me retient de t'envoyer au diable!

Mathieu sourit.

— Pas de problème. Veux-tu que je te rapporte une caisse de Kleenex?

Le Roman de Cassandre

Je suis partie toute seule, en pleine nuit. J'ai quitté le chalet avec mon sac à dos, j'ai marché comme une somnambule sur l'interminable route de campagne. Je pleurais toutes les larmes de mon corps. La joue droite me cuisait, mais c'est mon ego qui faisait le plus mal. Mike m'avait giflée dans la soirée, parce que j'avais refusé d'aller au village acheter de la bière.

«Giflée, giflée, giflée!» sifflait le vent et, dans ma tête, une petite voix détestable répétait sans arrêt: «Je te l'avais prédit, je te l'avais prédit!» Mes pas sur la route déserte scandaient: «Tant pis pour toi! Tant pis pour toi!» Les grands arbres dans la nuit chuchotaient: «Faut que ça cesse! Faut que ça cesse!» Et moi, j'ai fini par hurler en me bouchant les oreilles: «Laissez-moi tranquille, bande d'écœurants! J'en ai assez de me faire taper dessus! Et je ne tendrai pas la joue gauche! Jamais! Jamais! Jamais!»

J'ai finalement repéré l'autoroute, aux limites du village, et j'ai fait du pouce pour revenir au Faubourg. J'aurais pu me faire violer ou assassiner en chemin, mais je ne m'en serais même pas rendu compte tellement j'étais vidée. C'est mon frère qui y a pensé, après coup, et qui m'a traitée de grande innocente. C'est la première fois de ma vie que je le voyais brailler, ça m'a retournée.

J'ai eu de la chance. Je suis tombée sur une bonne femme à qui on n'aurait même pas accordé un permis pour conduire un chariot d'épicerie, mais qui avait un bon sourire et des Kleenex en masse dans sa boîte à gants. On a mis presque deux heures, à une allure mi-lièvre, mi-tortue, à atteindre le Faubourg. Elle s'est perdue dans les rues de la ville et m'a enfin débarquée chez mon frère à six heures du matin, après m'avoir payé deux beignes et un café. Ris de moi si tu veux, Cahier, mais je suis persuadée que cette femme-là était un ange gardien déguisé. Les anges ne doivent pas savoir conduire, mais ce n'est pas ce qui les arrêterait quand on a besoin d'eux.

J'ai dormi une partie de la journée et je retourne me coucher. Mon frère voulait mettre ses copains dehors pour me laisser dormir tranquille, mais je les ai suppliés de rester. Leur musique me fait du bien. J'ai besoin de sentir du monde autour de moi, du monde qui trouve la vie belle et qui fait du beau bruit pour l'exprimer.

Bonne nuit, Cahier. Je suis épuisée. Je ne pleurerai pas en m'endormant, je te le jure. Je suis bien trop soulagée d'être de retour chez moi, dans mon coin de pays, au Faubourg St-Rock.

12

Retour au Faubourg

Mathieu et Patricia échangent un sourire complice, où le soulagement de l'un se mêle au triomphe de l'autre.

— T'as vu, Mathieu?

— Vu quoi? Que tu avais raison à propos de Cassandre? Je l'admets, elle a fait du progrès, mais je te rappelle qu'on n'est pas encore arrivés au bout de son histoire.

— Non, ça n'a rien à voir, répond Patricia. C'est la première fois, la toute première fois depuis le début du manuscrit, qu'elle mentionne clairement le Faubourg St-Rock.

— Hé, c'est vrai! On avait supposé qu'elle vivait dans le quartier, à cause de l'endroit où tu as trouvé le cahier. Maintenant, on en a la preuve.

Patricia se lève et marche vers la fenêtre, y jette un coup d'œil et revient sur ses pas, très agitée.

— C'est fou, mais je la sens plus proche, maintenant. Comme s'il nous suffisait de sortir de la maison pour la croiser dans la rue. Je la sens là…

Elle se frappe la poitrine du plat de la main. Mathieu hausse les épaules.

— C'est peut-être ça qui se passe, en fait : on la rencontre chaque jour sans la reconnaître, sans savoir que c'est elle.

Le visage de Patricia s'éclaire.

— Tu le penses vraiment ?

— C'est une possibilité.

— Donc, tu admets qu'elle est encore en vie.

— Je n'ai jamais prédit qu'elle mourrait ! proteste Mathieu. Mais j'ai de la misère à croire qu'elle va lâcher Mike pour de bon.

Patricia s'accroche à son espoir comme un bébé à son jouet préféré.

— Tu as pourtant lu, comme moi, ce qu'elle a écrit : elle n'a plus envie de se faire taper dessus. C'est fini, avec Mike.

— J'espère bien ! éclate Mathieu. Non, mais ça se peut pas être écœurant de même : frapper sa blonde pour une ostid'bière !

— Mathieu…

— Ben quoi ? J'y peux rien, ça me donne envie de sacrer ! Veux-tu bien m'expliquer pourquoi il y a des femmes qui se laissent maltraiter comme ça ? Et qui en redemandent, par-dessus le marché ?

— Comment veux-tu que je le sache ? riposte Patricia. Tu en parles comme si c'était la faute des femmes.

— Au contraire! réplique Mathieu, très vexé. Je prends leur défense!

— Belle défense! Tu les accuses de se laisser faire! Tant qu'à y être, pourquoi ne pas les accuser d'inciter les hommes à la violence?

— D'accord, cède Mathieu. Je reformule ma question: veux-tu bien m'expliquer pourquoi certains hommes agissent en brutes?

Patricia lève les épaules. Cette question dépasse son entendement.

— C'est à eux qu'il faudrait demander ça! soupire-t-elle.

Un ange passe… Chacun se perd dans ses réflexions. Mathieu bâille et s'étire. Sa montre indique huit heures trente. Un peu tôt pour rentrer.

— On fait quoi, là? On continue de lire?

— Oui. Mais si ça ne te dérange pas, j'aimerais qu'on fasse une petite pause, avant.

Il hoche la tête. Elle lui sourit en se penchant vers la lampe de chevet. Le halo de lumière éclaire son visage et l'auréole de cheveux fous. Elle éteint et vient se lover contre Mathieu.

— Fais-le encore…, murmure-t-il en l'embrassant sur la tempe.

— Quoi?

— Le sourire que tu m'as fait juste avant d'éteindre.

— Tu veux que je sourie dans le noir?

— Ben oui…, y a de la lumière dans ton sourire.

— Oh, Mathieu…

PATRICIA

J'ai le cœur gros et je suis contente de me reposer dans le noir, allongée contre Mathieu. On se tient la main, on n'a pas besoin de se parler. Je suis certaine que nos pensées se rejoignent. C'est la dernière soirée qu'on passe avec Cassandre. Il reste à peine quelques pages à lire. J'ai très hâte, et en même temps très peur, de connaître la fin de son histoire. Nous dira-t-elle pourquoi elle a enterré son manuscrit ?

Je vais demander à Mathieu de lire la suite à haute voix. Il le fait très bien et, moi, je m'en sens incapable.

MATHIEU

Maudit que je suis content qu'on achève le roman ! Mon horloge interne est complètement fuckée. Pas seulement mon horloge, mais toutes les aiguilles de tous les cadrans, de tous les coucous, de tous les réveils, de toutes les montres, de tous les tic-tac de ma vie. Mécanisme en folie. Je ne sais pas quoi penser, je ne sais pas plus ce que je pense, j'aurai toujours des réactions à retardement. Je suis fait comme ça. La différence, parce qu'il y en a une, c'est que je ressens davantage les choses.

La main de ma blonde est chaude. Je sens sa main dans la mienne. Je sens même une petite veine palpiter dans sa paume. Je sais que je suis bien. Je sais que je l'aime. J'en prends conscience, là, maintenant. Elle avait raison. J'ai conscience d'être vivant. C'est complètement dingue, comme si je ne le savais pas avant! Je le savais. Non, je le savais pas. Pas tout à fait. Pas chaque minute, en tout cas.

Le Roman de Cassandre

Tu commences à épaissir, Cahier. Ce sont tous mes mots qui te gonflent. D'un autre point de vue, tu maigris à vue d'œil: il me reste à peine quelques pages pour terminer mon histoire. Est-ce que ça se termine bêtement en plein milieu d'une vie, l'écriture d'une histoire? Que faut-il faire quand on tourne la dernière page? Écrire plus petit pour pouvoir en dire plus long? Trouver rapidement une phrase de conclusion? Deviner la suite?

J'ai pensé acheter un autre cahier. Mais ce serait comme une trahison envers toi. Aucun cahier ne pourrait te ressembler ou te succéder. Tu es devenu mon ami au fil du temps. Le seul être – j'allais dire la seule personne – à qui j'ai tout confié sans rien omettre. Même Nicole, à qui je fais entièrement confiance, n'a pas tout su à mon sujet. On a sa pudeur, quand même.

J'ai du chagrin de te quitter, Cahier, du chagrin de quitter la fille qui vit et souffre entre tes pages.

Je me demande comment les écrivains font pour laisser leurs personnages en plan au dernier chapitre. Pour décider que leur existence s'arrête là, un point et c'est tout. Moi, quand je finis de lire un roman qui m'a plu, je continue de faire vivre les personnages dans ma tête. J'invente une suite à leur histoire. Ça n'a aucun sens de les abandonner comme ça. Même avec la plus belle des conclusions, il reste toujours un petit quelque chose d'inachevé: de la vaisselle sale sur un

bout de comptoir, des mots qui n'ont jamais été pro-
noncés… Si l'on excepte ceux qui meurent dans un
roman, et dont le sort est définitivement réglé, où vont
les autres personnages? Que font-ils de leur peau?

Toutes ces questions sans but m'ont aidée à trouver
un but dans mon existence à moi. Tiens bien ta
tuque, Cahier. J'ai le goût d'écrire des histoires pour les
autres. Plein, plein d'histoires. Tu vas me dire que j'ai
beaucoup de chemin à faire avant d'y arriver, et je le
reconnais. Mais ça ne me fait plus peur. Enfin, pas
trop. Je me suis donné le rôle d'un personnage dans
mon cahier. Et ça ne m'a pas empêchée de me sentir de
plus en plus vivante, même dans les moments durs.
C'était en quelque sorte une façon de me garder en vie.

Je ne vois plus ma vie comme un grand trou noir,
mais comme une longue période de temps à meubler.
Et sais-tu quoi? Je vais fabriquer des meubles pour
décorer mon temps, toutes sortes de beaux meubles à
mon goût. Je vais accrocher des affiches et des
tableaux. Et j'ai bien l'intention d'ajouter de la musique, de la couleur, de l'air, du mouvement, des
projets dans mon temps de vie.

C'est ce que j'ai dit à Nathalie, c'est ce que je vais
répéter à Nicole demain. On a rendez-vous. Je
continue ma thérapie.

Pour le moment, j'habite chez mon frère, et ce
n'est pas l'idéal. Mais c'est temporaire. Je ne sais pas
encore où j'irai vivre, mais il est possible qu'on démé-
nage ensemble dans un appartement plus grand où
chacun aura son espace.

Je te vois venir, Cahier… Tu penses que je ne
tiendrai pas le coup. Tu es persuadé que Mike n'a qu'à

revenir se pointer en hurlant qu'il m'aime pour que je le reprenne aussitôt dans ma vie. Eh bien, laisse-moi te répondre, au risque de te décourager : OUI, ça se peut. OUI, je me sens vulnérable. Tu vois, j'ai cessé de me leurrer. C'était ÇA, mon plus gros problème : je ne distinguais plus le vrai du faux.

J'ai des outils, maintenant. Je prends ma vie en main. Je ne veux plus qu'on me tape dessus, et le moyen le plus sûr d'y arriver, c'est de commencer par cesser de me taper dessus moi-même. Je choisis de travailler à m'aimer. Et je vais refaire ce choix chaque jour de ma vie, quitte à me casser la gueule deux ou trois fois en cours de route.

En somme, je n'ai pas de conclusion définitive à mon histoire. Je regrette de te décevoir : je n'en aurai pas tant que je serai en vie.

C'est peut-être ça, le secret du détachement des écrivains face à leurs personnages : ils les laissent aller en paix, une fois qu'ils leur ont prêté vie. Ils leur accordent une chance de se débrouiller tout seuls. Ils leur font confiance.

Se faire confiance à soi-même, ce n'est pas la fin du monde.

C'est peut-être le commencement.

Salut, Cahier. Merci pour tout.

P.-S. Il me reste un bout de page et, à toi, un bout de question. Tu n'as jamais su pourquoi je prétendais, pourquoi j'affirmais que mon père ne m'aimait pas. Tu n'as pas cru que ça pouvait être possible de la part d'un père. Ne le nie pas… Tu as préféré croire que j'imaginais tout ça, que je piquais une crise d'adolescence. Et tu t'es sûrement demandé pourquoi je ne mentionnais jamais que j'avais une mère. Tu as le droit de tout savoir, toi qui m'as fidèlement accompagnée.

Je n'ai jamais connu ma mère, vois-tu. Elle est morte à ma naissance. J'ai longtemps cru que c'était moi qui l'avais tuée, puis j'ai finalement compris que ce n'était pas ma faute. On en a reparlé dernièrement, mon frère et moi. Mon père, lui, malgré toute sa bonne volonté, est incapable de faire la part des choses. Mon anniversaire lui rappellera toujours la date où sa femme, Patricia Annette Noël, l'a quitté sans même lui dire au revoir.

Je l'aime, mon père. Parce qu'il a aimé ma mère et parce qu'il se souvient d'elle. Mais il s'est enfermé dans un cercle qu'il refuse de briser.

Et c'est en réfléchissant à tout ça que je me dissocie, lentement mais sûrement, du phénomène Mike. L'amour, ça ne devrait pas nous empêcher de vivre. Ça devrait plutôt nous empêcher de mourir.

13
La clé

PATRICIA

La cassette dans ma tête se déroule à une vitesse vertigineuse. Elle est devenue folle. Des mots, des sensations, des émotions en vrac. Ça se peut pas, ça se peut pas, ça se peut pas!

Patricia Annette Noël... Patricia Annette Noël... C'est ma grand-mère! *Ma grand-mère!*

Celle de la photo dans l'album de famille, qui avait épousé mon grand-père, Jérôme André Cassegrain.

Patricia Annette et Jérôme André, les parents d'Andréanne Cassegrain. Andréanne Cassegrain, devenue ma mère.

Ma mère a été Cassandre. Cassandre est ma mère à seize ans.

CASSANDRE. Bien sûr! Le presque ana-gramme: CASS pour Cassegrain, ANDRE pour Andréanne.

Ma mère le lac, si calme, si douce, si… parfaitement maîtresse de ses émotions.

Son secret dans la terre, pendant vingt ans. Et c'est moi qui l'ai exhumé. Moi, sa fille.

Elle a quitté Mike. Elle l'a quitté définitivement! Mon père s'appelle François Longpré. Alléluia pour François Longpré!

Cassandre a quitté Mike… non, pardon, le phénomène Mike. Je voudrais courir vers elle, me jeter dans ses bras, la prendre dans mes bras, la serrer, l'entraîner dans une danse autour d'un feu de joie, un feu de cahier. Je ne peux pas. C'est Mathieu que je serre dans mes bras et que j'embrasse en riant et en pleurant comme une vraie folle. Et puis je me mets à tourner en rond dans ma chambre, je pose une fesse au bord du lit, je me relève, je déplace des objets, je me rassois, je m'étends, je me relève encore et je marche de long en large.

Mon chum m'observe pensivement. Il remet le manuscrit dans sa boîte. Il est content, lui aussi, ça se voit. Il se sent libéré d'un grand poids. Mais il trouve mon agitation exagérée. Je le presse de partir sous des prétextes cousus de fil blanc, un mal de tête, une grande fatigue. Je lis dans ses yeux la surprise, mais aucun reproche. Je lui souris. Merci, Mathieu. Merci de m'aimer sans chercher à tout comprendre, à tout savoir de moi. Merci de me laisser mon espace. J'ai besoin d'être seule avec mon secret. Besoin d'être seule avec ma mère de seize ans. Tu ne peux pas le savoir, mais tu l'acceptes. Je t'expliquerai plus tard. Ou peut-être jamais… Probablement jamais.

Il referme enfin la porte derrière lui. Je me précipite à la fenêtre, j'attends de le voir passer devant la maison et je lui envoie des baisers. Il lève la main et s'éloigne, le dos rond.

J'ai connu ma mère à seize ans! Pendant quinze jours, ma mère a eu mon âge. Elle a été mon égale. Mon amie. Je me suis inquiétée pour elle. J'ai vécu son drame. J'ai cherché des réponses avec elle. Je lui ai donné mon soutien. Je l'ai accompagnée. J'ai touché les pages que sa main de seize ans a effleurées. J'ai ressenti sa souffrance. Je l'ai vécue, je l'ai partagée.

J'avais oublié que ma mère avait existé avant moi. Comme si elle était née mère. Je me sens très intimidée, tout à coup. Je me rends compte que je ne la verrai plus jamais comme je la voyais avant.

Je reprends le manuscrit et je le feuillette lentement. Je caresse du doigt chacune de ses pages. La dernière page est collée à la couverture. L'humidité, sans doute. J'humecte le bout de mon doigt et je la détache avec précaution… Je la tourne.

Il y a encore des mots écrits au verso.

Cassandre

19 septembre

C'est ton anniversaire. J'ai décidé de te mettre au repos, Cahier. C'est un geste symbolique. Quelque chose me pousse à me détacher de toi, mais je ne supporterais pas de te détruire.

J'irai t'enterrer en secret à la Courbe du Train. Tu y seras très bien.

C'est mon domaine, l'endroit où j'allais me réfugier étant petite, derrière la maison de mon père...

Cette maison éteinte, je la fais renaître dans mes rêves les plus fous, avec des enfants à moi, des enfants à qui je ne me lasserai jamais de dire «je t'aime».

Épilogue

PATRICIA

La terre est presque complètement gelée. Mais cette fois, on est deux à creuser, pressés comme des voleurs en plein jour. Deux à piocher fort, le front en sueur malgré le froid mordant.

J'ai choisi un emplacement à côté de la tombe de Lancelot. J'ai vite repéré l'endroit, à cause du monticule et de la lampe de poche que j'avais oubliée, il y a de cela… un siècle. Non, à peine quelques semaines.

Mathieu ne m'a posé aucune question quand je lui ai demandé de m'accompagner à la Courbe du Train. Il comprend comme moi qu'on n'aurait pas pu garder le manuscrit. Son secret appartient à la terre.

On n'en a pas reparlé, mais l'histoire de Cassandre a créé une sorte d'équilibre entre nous. Pas à cause de l'histoire elle-même, mais parce qu'on l'a lue ensemble. Je parle un peu moins. Mathieu parle un peu plus. Les mots que je me sentais mal à l'aise de ne pas entendre ou de ne pas prononcer ne me font plus aussi peur. Pour Mathieu, ce sont les mots qu'il se sentait gêné d'entendre ou de prononcer qui ont cessé de l'effrayer.

Mon chum s'essuie le front, s'appuie sur sa pelle et me fait un léger signe de tête. La boîte gît à nos pieds. Je la prends à deux mains et je la dépose dans son nid sans regarder Mathieu. Il attend que je me relève pour jeter quelques pelletées de terre et combler rapidement le trou. Je n'éprouve aucun chagrin, aucun sentiment de perte. Deux mots se forment spontanément sur mes lèvres en une prière silencieuse : merci, maman.

Mathieu a l'air complètement bouleversé. A-t-il lu sur mes lèvres ? Il ouvre la bouche, la referme. Il hésite, on dirait qu'il attend quelque chose. Voyant que je reste impassible, il se mouche et me presse de partir avant qu'on ne gèle sur place.

Il neige à plein ciel, soudain. La première neige de la saison, celle qui efface toutes les plaies et toutes les cicatrices du paysage blessé par l'automne. Je poursuis les flocons en riant et j'en goûte la fraîcheur sur ma langue. Mathieu me précède sur le chemin. Je le vois se retourner et jeter un coup d'œil furtif par-dessus mon épaule. Comme s'il voulait graver une certaine image dans sa mémoire. Je vais droit devant, sans un regard derrière moi. Je me sens aussi légère que la neige.

Cassandre repose en paix, maintenant.

Table des matières

LA DÉPENDANCE AFFECTIVE

Savais-tu que… il existe plusieurs formes de dépendances, et qu'elles ne sont pas toute reliées à la toxicomanie?

Savais-tu que… la dépendance affective est plus répandue qu'on ne le croit?

AMOUR ET DÉPENDANCE AFFECTIVE : QUELLE DIFFÉRENCE?

Être aimé est un besoin fondamental qu'il est tout à fait normal de chercher à combler. **Mais** pas à tout prix! En étant prêt à faire n'importe quoi avec n'importe qui pour obtenir de l'amour, on se place en situation de dépendance.

Si tu éprouves du malaise à l'idée d'être seul(e), si la présence de l'autre t'est devenue nécessaire pour te sentir bien dans ta peau, si tu attends le verdict de l'autre pour prendre une décision et que tu n'oses plus exprimer ton désaccord de peur de te retrouver seul(e), tu présentes les caractéristiques de la dépendance affective.

La souffrance est un indice : c'est l'un des éléments qui différencient l'amour de la dépendance affective. La personne dépendante affective a tellement peur de la solitude et vit une telle anxiété à l'idée de perdre l'autre qu'elle s'oublie complètement et ne vit qu'à travers l'autre, ce qui engendre de la souffrance.

Le manque d'estime de soi : un être doté d'une faible estime de soi peut développer des problèmes de dépendance affective. Persuadé qu'il ne mérite pas d'être aimé, il adopte des comportements dépendants pour contrer ce sentiment.

Conclusion: la dépendance affective ne favorise pas l'épanouissement de relations amoureuses saines et harmonieuses.

**Pour se sortir du cercle
de la dépendance affective**

- Prendre conscience qu'on en souffre constitue le premier pas vers la guérison.
- Trouver de l'aide auprès d'une personne compétente (travailleuse sociale, psychologue, etc.), ou d'un groupe de soutien sera l'étape suivante.
- Apprendre à être heureux sans l'autre et à être bien dans sa peau, tout en s'accordant l'importance que l'on mérite : voilà une façon d'acquérir une meilleure estime de soi et de bâtir des relations plus épanouissantes. Tu mérites de rencontrer quelqu'un qui t'aimera pour qui tu es vraiment.

Pour recevoir de l'aide professionnelle :
L'ordre des psychologues du Québec
  http://www.ordrepsy.qc.ca
  514 738-1881

**Pour obtenir de l'information
ou trouver un groupe de soutien :**
Les dépendants affectifs anonymes
du Québec (DAA)
  http://www.daa-quebec.org
  514 990-4744, poste 600
  ou (sans frais) 1 877 621-4744

Suggestion de lecture : *Ces femmes qui aiment trop*, par Robin Norwood

LA VIOLENCE AU SEIN DU COUPLE

Ah, l'amour ! La relation est belle, parfaite, idyllique, et l'on voudrait qu'il en soit ainsi éternellement. Malheureusement, certaines jeunes filles subissent de la violence de la part de leur amoureux ou même de leur ex.

La violence au sein du couple arrive rarement du jour au lendemain. Elle s'installe plutôt progressivement, de manière subtile et souvent sournoise.

LES DIFFÉRENTES FORMES DE VIOLENCE

La violence physique : il s'agit de tout contact physique ayant pour but d'agresser l'autre, de le dominer ou de lui faire peur. Il n'y a pas de degrés dans la violence physique : elle est toujours inacceptable ! Si, par exemple, ton amoureux te saisit brutalement par les poignets ou par toute autre partie de ton corps, il te violente tout autant que s'il te secoue, te donne des coups, des gifles, te pousse, te bouscule ou fait tout autre geste qui menace ton intégrité physique.

La violence psychologique : elle se produit lorsqu'une personne en humilie une autre, la dévalorise, la rabaisse, l'invective, la menace, lui impose ses opinions, ses goûts, ses valeurs, lui fait des reproches, l'attaque sur ses points faibles et passe des commentaires qui ont pour but de la blesser moralement.

La violence verbale : elle est souvent liée à la violence psychologique. Lorsqu'une personne crie, injurie l'autre, lui donne des ordres, l'insulte ou explose en hurlant des paroles vulgaires, elle est violente verbalement.

La personne violente peut aussi s'en prendre à des objets. Si, par exemple, ton amoureux ou ton amoureuse frappe dans les murs, lance des objets, les brise ou claque des portes pour faire passer ses accès de colère, il ou elle emploie une forme de violence qui, elle aussi, a pour but de t'intimider et de te faire peur.

La violence sexuelle : c'est la plus tabou, celle dont on parle le moins. En fait, tout geste à connotation sexuelle fait sans le consentement de l'autre se rapporte à ce type de violence. Par exemple, si le garçon que tu aimes t'oblige à faire des gestes à caractère sexuel qui ne te plaisent pas, s'il te force à avoir des relations, s'il t'impose ses fantasmes, s'il t'injurie ou t'humilie durant l'amour ou s'il te brutalise, il est violent sexuellement.

Si une de ces situations te semble familière, il est important de demander de l'aide. Tu peux t'en sortir.

Sans nier que certains garçons puissent aussi subir de la violence conjugale, on peut affirmer qu'une majorité de victimes sont de sexe féminin. Elles proviennent de tous les milieux. Elles n'ont pas un profil particulier et ne sont pas facilement reconnaissables dans la rue. Elles sont souvent habitées par la honte, le sentiment que tout est leur faute. Pourtant, si tu es victime de violence conjugale, il n'y a pas lieu d'avoir honte, puisque ce n'est pas ta faute si ton conjoint est violent. Il faut en parler !

Pour obtenir plus de renseignements ou trouver de l'aide :
S.O.S. violence conjugale
  http://www.sosviolenceconjugale.ca
  http://www.aimersansviolence.com
  http://www.violenceconjugale.gouv.qc.ca
  514 873-9010 ou (sans frais) 1 800 363-9010

Tu es un garçon, tu as des comportements violents et tu veux t'en sortir :
À cœur d'homme est un réseau d'aide aux hommes violents.
  http://www.acoeurdhomme.com
  418 660-7799 (région de Québec)

LA TOXICOMANIE

Savais-tu que… la toxicomanie est l'état qui résulte de la consommation répétée d'une substance toxique ? Elle se caractérise par le besoin irrépressible que ressent l'individu de poursuivre la prise de cette substance, malgré les conséquences négatives sur sa santé, sur son existence et sur son entourage.

Comment reconnaître la dépendance ? Beaucoup de gens consomment de l'alcool et jouent à des jeux de hasard, sans toutefois développer des problèmes de dépendance. Bien que les symptômes varient selon l'objet de la dépendance, on peut affirmer que la consommation d'une substance ou la pratique d'une activité devient nuisible :

- lorsque l'on observe des effets négatifs sur la santé mentale et physique (anxiété, insomnie, nervosité, tremblements, vomissements, etc.),
- lorsque la personne s'endette ou ne peut plus s'acquitter de ses obligations financières,
- lorsqu'elle néglige sa famille et ses amis,
- lorsque son travail est affecté,
- lorsqu'elle contrevient à la loi.

En résumé, disons que la dépendance engendre une perte de contrôle caractérisée par des comportements imprévisibles.

Or, la personne dépendante est souvent habitée par un fort sentiment de déni et ne considère donc pas avoir un problème, ce qui constitue un cercle vicieux, puisque la première étape vers la guérison est justement la reconnaissance du problème et du fait qu'on a besoin d'aide pour s'en sortir.

La personne aux prises avec un problème de dépendance a besoin du soutien de ses proches, lorsque cela est possible, et aussi d'aide professionnelle.

La dépendance est un problème de santé et peut donc être traitée. Par contre, la cure miracle n'existe pas. Il faut une bonne dose de patience et de volonté et, en tout premier lieu, admettre avoir un problème et en identifier la nature.

Pour en savoir plus sur les diverses dépendances :

Centre québécois de lutte aux dépendances
    http ://www.cqld.ca
    514 389-6336
Toxquébec
Centre de référence en matière de toxicomanie
    http ://www.toxquebec.com
    514 288-2611

Si toi ou un proche avez besoin d'aide :

L'Association des centres de réadaptation
en dépendance du Québec
    http ://www.acrdq.qc.ca
    514 287-9625

La maison Jean Lapointe
    http ://www.maisonjeanlapointe.com
    514 288-2611 (région de Montréal)
    1 800 567-9543 (ailleurs au Québec)

Groupes d'entraide

Les alcooliques anonymes
    http ://www.aa-quebec.org
Les narcotiques anonymes
    http ://www.naquebec.org

INVITATION

En terminant la lecture de ce livre, vous avez sûrement des impressions ou des commentaires au sujet de l'histoire, des personnages, du contexte ou de la collection Faubourg St-Rock en général. Si le cœur vous en dit, il nous ferait plaisir de les connaître. Voici nos coordonnées :

Collection Faubourg St-Rock+
Éditions Pierre Tisseyre
155, rue Maurice
Rosemère (Québec) J7A 2S8

info@edtisseyre.ca
desro50@videotron.ca

Un grand merci à l'avance !

PLAN DU
FAUBOURG
ST-ROCK

HERRIMAN

Chantier de la Falaise

DURUISSEAU

DES ARTISANS

DE L'OASIS

DES ÉGLANTIERS

TANQUERAY

WODEHOUSE

BOULEVARD DE LA PASSERELLE

Aréna

DE L'ALLIANCE

CROISSANT ST-ROCK

COLLECTION FAUBOURG ST-ROCK+
directrice : Marie-Andrée Clermont

Note : Les ouvrages listés ci-dessus dans la collection
Faubourg St-Rock + sont des versions réactualisées
des romans portant les mêmes titres parus
de 1991 à 1998.